Collins

S C R A
jun

Wordsearch
book

Published by Collins
An imprint of HarperCollinsPublishers
Westerhill Road
Bishopbriggs
Glasgow G64 2QT
www.harpercollins.co.uk

HarperCollinsPublishers
Macken House, 39/40 Mayor Street Upper, Dublin 1, D01 C9W8, Ireland

© 2023 Mattel. SCRABBLE™ and SCRABBLE tiles, including S1 tiles, are trademarks of Mattel.

Collins ® is a registered trademark of HarperCollins Publishers Limited

All puzzles supplied by Clarity Media Ltd
All images © Shutterstock.com

First published in 2023

© HarperCollins Publishers 2023

ISBN 978-0-00-859117-5

10 9 8 7 6 5 4 3 2 1

The contents of this publication are believed correct at the time of printing. Nevertheless the publisher can accept no responsibility for errors or omissions, changes in the detail given or for any expense or loss thereby caused.

A catalogue record for this book is available from the British Library

Printed and bound in the UK using 100% renewable electricity at CPI Group (UK) Ltd

MIX
Paper | Supporting
responsible forestry
FSC™ C007454

This book is produced from independently certified FSC™ paper to ensure responsible forest management.

For more information visit: www.harpercollins.co.uk/green

Get ready for more than 120 wordsearches!

You can do them in any order, but you'll find beginner level puzzles towards the start of the book and more challenging ones towards the back.

8 by 8 square grids – words may be hidden horizontally or vertically.

10 by 10 square grids – words may be hidden in any direction, including diagonally.

12 by 12 square grids – words may be hidden in any direction, including diagonally and may run forwards or backwards.

Look out for the keyword puzzles! Once you've completed these wordsearches, write the unused letters in the spaces provided and find out what words they spell.

You'll find all the answers at the end of the book.

NIGHT SKY

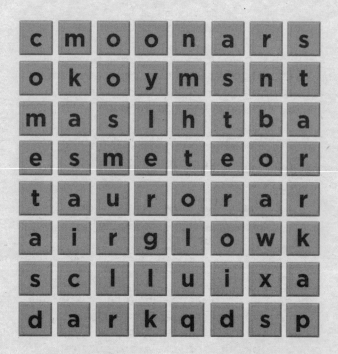

c	m	o	o	n	a	r	s
o	k	o	y	m	s	n	t
m	a	s	l	h	t	b	a
e	s	m	e	t	e	o	r
t	a	u	r	o	r	a	r
a	i	r	g	l	o	w	k
s	c	l	l	u	i	x	a
d	a	r	k	q	d	s	p

airglow   dark
asteroid   meteor
aurora   moon
comet   star

PETS

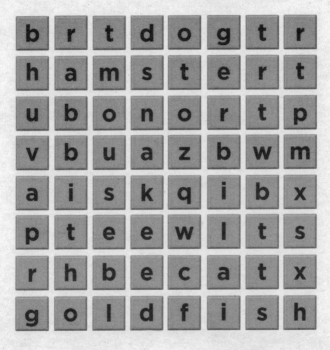

b	r	t	d	o	g	t	r
h	a	m	s	t	e	r	t
u	b	o	n	o	r	t	p
v	b	u	a	z	b	w	m
a	i	s	k	q	i	b	x
p	t	e	e	w	l	t	s
r	h	b	e	c	a	t	x
g	o	l	d	f	i	s	h

cat   hamster
dog   mouse
gerbil   rabbit
goldfish   snake

BREAKFAST

j	w	n	p	p	z	k	t
t	a	l	b	a	c	o	n
o	f	m	a	n	o	x	q
a	f	h	g	c	f	u	r
s	l	i	e	a	f	r	c
t	e	a	l	k	e	j	n
g	h	g	t	e	e	f	s
b	u	t	t	e	r	t	g

bacon
bagel
butter
coffee

pancake
tea
toast
waffle

HIKING

b	c	o	m	p	a	s	s
m	r	w	h	f	z	w	a
n	o	t	i	o	b	b	h
a	u	r	l	r	o	o	z
t	t	a	l	e	t	o	t
u	e	i	v	s	z	t	d
r	z	l	h	t	v	s	n
e	t	e	r	r	a	i	n

boots nature
compass route
forest terrain
hill   trail

BEARS

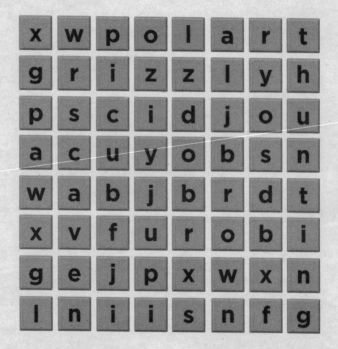

x	w	p	o	l	a	r	t
g	r	i	z	z	l	y	h
p	s	c	i	d	j	o	u
a	c	u	y	o	b	s	n
w	a	b	j	b	r	d	t
x	v	f	u	r	o	b	i
g	e	j	p	x	w	x	n
l	n	i	i	s	n	f	g

brown	grizzly
cave	hunting
cub	paw
fur	polar

CALMING WORDS

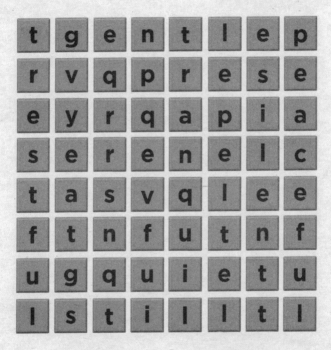

t	g	e	n	t	l	e	p
r	v	q	p	r	e	s	e
e	y	r	q	a	p	i	a
s	e	r	e	n	e	l	c
t	a	s	v	q	l	e	e
f	t	n	f	u	t	n	f
u	g	q	u	i	e	t	u
l	s	t	i	l	l	t	l

gentle   **serene**
peaceful   **silent**
quiet   **still**
restful   **tranquil**

9

HALLOWEEN

j	p	u	m	p	k	i	n
p	s	k	u	l	l	s	i
o	q	n	i	t	a	w	w
r	p	b	r	r	u	e	i
c	o	s	t	u	m	e	t
s	p	o	o	k	y	t	c
w	p	b	a	t	m	s	h
q	p	f	g	h	o	s	t

bat   skull

costume   spooky

ghost   sweets

pumpkin witch

VIKINGS

s	o	h	e	l	m	e	t
e	x	p	l	o	r	e	r
a	c	q	x	n	z	r	t
l	o	a	y	g	l	a	r
q	m	o	r	s	a	i	a
m	b	a	w	h	v	d	d
w	a	r	r	i	o	r	e
q	t	a	d	p	y	c	r

combat   raid
explorer   sea
helmet   trader
longship   warrior

LONDON

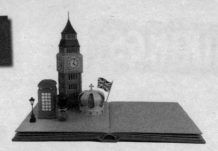

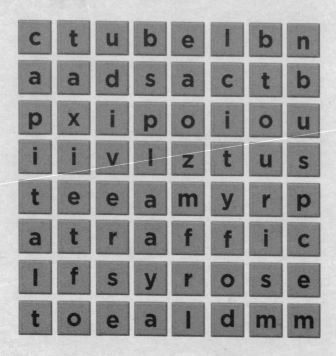

c	t	u	b	e	l	b	n
a	a	d	s	a	c	t	b
p	x	i	p	o	i	o	u
i	i	v	l	z	t	u	s
t	e	e	a	m	y	r	p
a	t	r	a	f	f	i	c
l	f	s	y	r	o	s	e
t	o	e	a	l	d	m	m

bus	taxi
capital	tourism
city	traffic
diverse	tube

ANIMALS KEYWORD

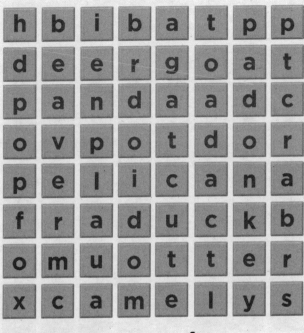

h	b	i	b	a	t	p	p
d	e	e	r	g	o	a	t
p	a	n	d	a	a	d	c
o	v	p	o	t	d	o	r
p	e	l	i	c	a	n	a
f	r	a	d	u	c	k	b
o	m	u	o	t	t	e	r
x	c	a	m	e	l	y	s

bat
beaver
camel
crab
deer
donkey
duck

fox
goat
otter
panda
pelican
toad

Write the unused letters here.
What word do they spell?

13

COLOURS

p	u	r	p	l	e	u	c
i	n	d	i	g	o	r	r
n	b	o	n	o	r	r	i
k	b	i	x	b	b	u	m
a	i	p	k	l	q	s	s
p	t	z	e	u	r	s	o
m	a	u	v	e	o	e	n
g	o	l	w	h	i	t	e

blue   mauve
crimson   purple
indigo   russet
pink   white

GARDEN

r	u	a	f	x	a	w	l
s	f	l	o	w	e	r	n
h	u	b	u	s	h	t	v
e	p	o	n	d	p	k	k
d	r	s	t	n	a	p	g
u	g	r	a	s	s	e	e
l	a	b	i	r	d	s	r
p	l	a	n	t	k	g	p

bird   grass
bush   plant
flower   pond
fountain   shed

WILD FLOWERS

f	f	u	o	c	t	m	p
c	o	t	x	t	v	a	r
o	x	v	e	l	o	r	i
w	g	i	y	i	r	i	m
s	l	o	e	l	c	g	r
l	o	l	p	a	h	o	o
i	v	e	r	c	i	l	s
p	e	t	d	s	d	d	e

cowslip   orchid
foxglove   oxeye
lilac   primrose
marigold   violet

ICE CREAM FLAVOURS

m	c	j	v	p	j	a	c
i	h	m	a	e	b	d	o
n	e	a	n	c	e	i	f
t	r	n	i	a	r	m	f
c	r	g	l	n	r	c	e
h	y	o	l	c	y	z	e
o	y	j	a	w	e	p	w
c	n	b	a	n	a	n	a

banana   mango
berry   mint choc
cherry   pecan
coffee   vanilla

FOOD

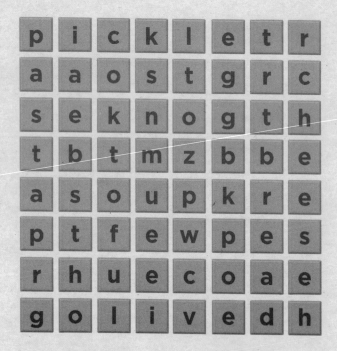

p	i	c	k	l	e	t	r
a	a	o	s	t	g	r	c
s	e	k	n	o	g	t	h
t	b	t	m	z	b	b	e
a	s	o	u	p	k	r	e
p	t	f	e	w	p	e	s
r	h	u	e	c	o	a	e
g	o	l	i	v	e	d	h

bread   pasta
cheese   pickle
egg   soup
olive   tofu

INSECTS

e	a	r	w	i	g	e	r
o	e	p	t	w	a	s	p
a	p	r	e	o	a	b	g
n	t	c	r	f	l	e	a
t	k	f	m	x	s	e	r
r	c	r	i	c	k	e	t
x	m	o	t	h	p	t	l
f	s	j	e	t	t	r	t

ant
bee
cricket
earwig

flea
moth
termite
wasp

SUMMER

s	q	b	r	z	o	p	z
u	c	i	h	t	q	i	t
n	a	k	h	o	t	c	r
s	m	e	a	s	b	n	a
h	p	r	k	w	i	i	v
i	i	i	e	i	l	c	e
n	n	d	k	m	a	t	l
e	g	e	p	w	a	l	k

bike ride   **sunshine**
camping   **swim**
hot   **travel**
picnic   **walk**

TREES

i	f	e	y	l	a	w	b
z	m	l	l	p	d	i	p
a	k	m	m	u	u	l	i
s	m	a	p	l	e	l	n
h	p	c	b	z	o	o	e
q	y	e	w	q	a	w	y
r	h	d	b	s	k	b	g
m	s	p	r	u	c	e	l

ash
elm
maple
oak

pine
spruce
willow
yew

GAMES

c	h	a	r	a	d	e	s
c	o	n	k	e	r	s	w
l	e	t	l	b	r	s	o
e	m	a	r	b	l	e	s
k	e	g	l	i	m	b	o
s	a	r	d	i	n	e	s
d	o	m	i	n	o	e	s
l	e	a	p	f	r	o	g

charades   limbo
conkers   marbles
dominoes   sardines
leapfrog   tag

HORSES

n	e	i	g	h	k	n	c
t	f	f	i	v	x	r	s
o	c	o	w	c	l	b	a
g	a	l	l	o	p	k	d
m	f	h	o	o	f	t	d
a	o	y	f	g	x	r	l
r	a	c	e	f	s	o	e
e	l	y	h	f	k	t	k

foal	neigh
gallop	race
hoof	saddle
mare	trot

WILD CATS

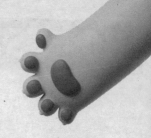

c	h	e	e	t	a	h	p
b	o	b	c	a	t	l	a
t	t	o	t	o	u	e	n
a	i	c	m	n	p	o	t
e	p	e	l	l	u	p	h
j	f	l	y	i	m	a	e
o	y	o	n	o	a	r	r
a	o	t	x	n	x	d	s

bobcat   lynx
cheetah   ocelot
leopard   panther
lion   puma

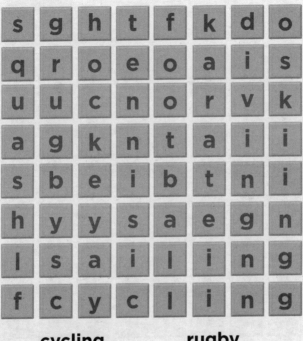

s	g	h	t	f	k	d	o
q	r	o	e	o	a	i	s
u	u	c	n	o	r	v	k
a	g	k	n	t	a	i	i
s	b	e	i	b	t	n	i
h	y	y	s	a	e	g	n
l	s	a	i	l	i	n	g
f	c	y	c	l	i	n	g

cycling
diving
football
hockey
karate

rugby
sailing
skiing
squash
tennis

Write the unused letters here.
What word do they spell?

VEGETABLES

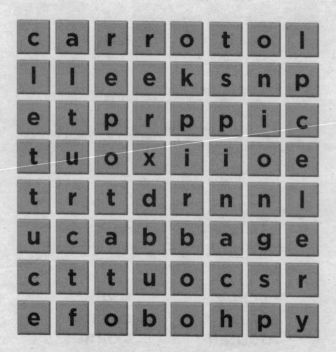

c	a	r	r	o	t	o	l
l	l	e	e	k	s	n	p
e	t	p	r	p	p	i	c
t	u	o	x	i	i	o	e
t	r	t	d	r	n	n	l
u	c	a	b	b	a	g	e
c	t	t	u	o	c	s	r
e	f	o	b	o	h	p	y

cabbage   lettuce
carrot   onion
celery   potato
leek   spinach

SCHOOL

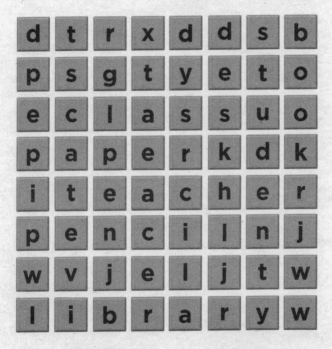

d	t	r	x	d	d	s	b
p	s	g	t	y	e	t	o
e	c	l	a	s	s	u	o
p	a	p	e	r	k	d	k
i	t	e	a	c	h	e	r
p	e	n	c	i	l	n	j
w	v	j	e	l	j	t	w
l	i	b	r	a	r	y	w

book paper
class pencil
desk student
library teacher

AUTUMN

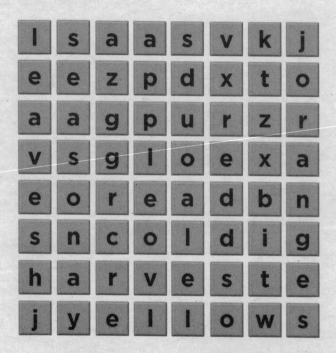

l	s	a	a	s	v	k	j
e	e	z	p	d	x	t	o
a	a	g	p	u	r	z	r
v	s	g	l	o	e	x	a
e	o	r	e	a	d	b	n
s	n	c	o	l	d	i	g
h	a	r	v	e	s	t	e
j	y	e	l	l	o	w	s

apple
cold
harvest
leaves

orange
red
season
yellow

SWEETS

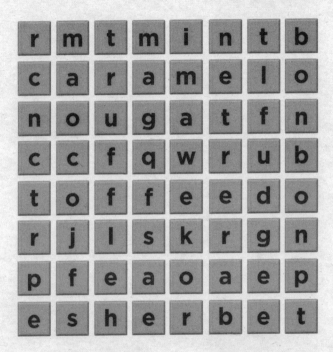

r	m	t	m	i	n	t	b
c	a	r	a	m	e	l	o
n	o	u	g	a	t	f	n
c	c	f	q	w	r	u	b
t	o	f	f	e	e	d	o
r	j	l	s	k	r	g	n
p	f	e	a	o	a	e	p
e	s	h	e	r	b	e	t

bonbon   nougat
caramel   sherbet
fudge   toffee
mint   truffle

NATURE

o	g	t	f	l	o	r	a
c	l	s	t	r	e	a	m
e	a	a	n	i	m	a	l
a	c	t	h	q	r	x	f
n	i	e	l	b	o	u	u
b	e	o	z	x	c	x	n
x	r	t	c	r	k	z	g
h	d	e	s	e	r	t	i

animal   glacier
desert   ocean
flora   stream
fungi   rock

CHILDREN'S PARTY

q	c	p	w	i	s	h	k
b	a	l	l	o	o	n	s
m	n	g	a	m	e	s	s
u	d	a	n	c	i	n	g
s	l	c	c	j	o	q	i
i	e	a	d	e	w	d	b
c	s	k	x	i	t	c	f
p	r	e	s	e	n	t	s

balloons   games
cake   music
candles   presents
dancing   wish

FISH

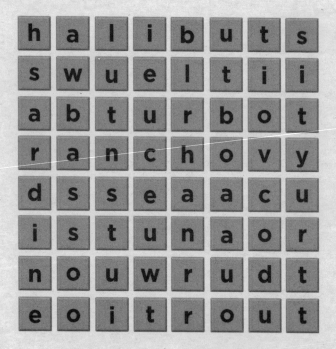

h	a	l	i	b	u	t	s
s	w	u	e	l	t	i	i
a	b	t	u	r	b	o	t
r	a	n	c	h	o	v	y
d	s	s	e	a	a	c	u
i	s	t	u	n	a	o	r
n	o	u	w	r	u	d	t
e	o	i	t	r	o	u	t

anchovy   sardine
bass   trout
cod   tuna
halibut   turbot

SNOW DAY

f	g	r	v	l	t	t	s
r	l	d	r	j	o	c	n
o	o	j	b	t	b	o	o
s	v	i	c	e	o	l	w
t	e	h	y	u	g	d	b
y	s	a	o	n	g	t	a
m	r	t	l	n	a	r	l
p	l	a	y	i	n	g	l

cold	playing
frosty	gloves
hat	snowball
ice	toboggan

BABY ANIMALS

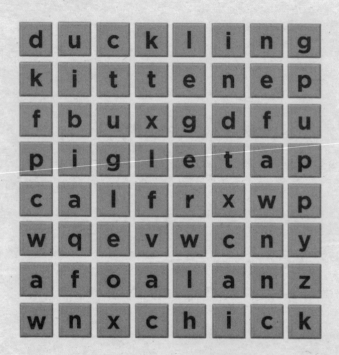

d	u	c	k	l	i	n	g
k	i	t	t	e	n	e	p
f	b	u	x	g	d	f	u
p	i	g	l	e	t	a	p
c	a	l	f	r	x	w	p
w	q	e	v	w	c	n	y
a	f	o	a	l	a	n	z
w	n	x	c	h	i	c	k

calf   foal
chick   kitten
duckling   piglet
fawn   puppy

FAMILY

a	c	o	u	s	i	n	b
l	s	o	n	t	d	h	r
k	n	u	n	c	l	e	o
p	e	o	i	a	u	n	t
w	p	q	e	l	e	c	h
j	h	o	c	a	r	j	e
r	e	p	e	b	t	l	r
m	w	s	i	s	t	e	r

aunt

brother

cousin

nephew

niece

sister

son

uncle

CARD GAMES

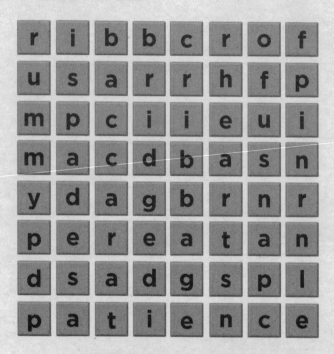

r	i	b	b	c	r	o	f
u	s	a	r	r	h	f	p
m	p	c	i	i	e	u	i
m	a	c	d	b	a	s	n
y	d	a	g	b	r	n	r
p	e	r	e	a	t	a	n
d	s	a	d	g	s	p	l
p	a	t	i	e	n	c	e

baccarat patience
bridge   rummy
cribbage snap
hearts   spades

WINTER KEYWORD

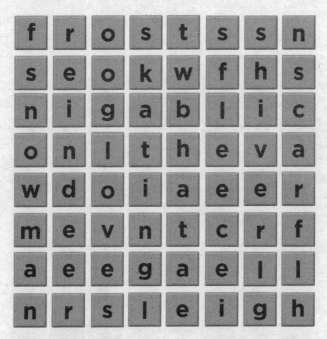

f	r	o	s	t	s	s	n
s	e	o	k	w	f	h	s
n	i	g	a	b	l	i	c
o	n	l	t	h	e	v	a
w	d	o	i	a	e	e	r
m	e	v	n	t	c	r	f
a	e	e	g	a	e	l	l
n	r	s	l	e	i	g	h

fleece   scarf
frost   shiver
gloves   skating
hat   sleigh
reindeer   snowman

Write the unused letters here.
What word do they spell?

37

THE BEACH

s a n d b a r s
t i d e t k r e
a o s h o r e a
r b p a z w w s
f l o t s a m h
i t o e k v t e
s w l z c e t l
h u l d f s s l

flotsam   shore
pool   starfish
sandbar   tide
seashell   waves

SHARKS

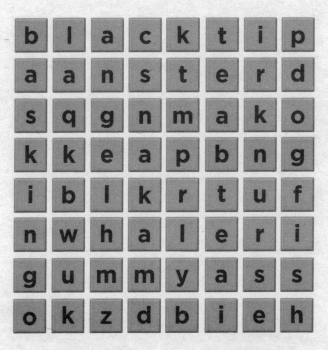

b	l	a	c	k	t	i	p
a	a	n	s	t	e	r	d
s	q	g	n	m	a	k	o
k	k	e	a	p	b	n	g
i	b	l	k	r	t	u	f
n	w	h	a	l	e	r	i
g	u	m	m	y	a	s	s
o	k	z	d	b	i	e	h

angel	gummy
basking	mako
blacktip	nurse
dogfish	whale

WEATHER

x	r	r	a	i	n	x	j
t	s	t	o	r	m	y	y
h	c	u	h	a	i	l	y
u	l	i	e	f	z	p	t
n	o	f	r	o	s	t	u
d	u	f	l	g	o	p	h
e	d	s	n	o	w	y	y
r	e	z	b	l	j	q	j

cloud rain
fog snow
frost storm
hail thunder

y	m	o	n	t	h	g	i
e	f	u	t	u	r	e	l
a	s	e	e	o	r	s	h
r	g	s	p	a	k	e	o
c	l	o	c	k	i	c	u
w	r	p	a	s	t	o	r
w	a	t	c	h	g	n	f
i	e	l	s	p	l	d	o

clock   past
future   second
hour   watch
month   year

AROUND THE HOUSE

k	t	g	s	p	r	b	u
i	h	a	l	l	w	a	y
t	p	r	o	s	n	t	o
c	o	a	u	t	g	h	f
h	r	g	n	u	j	r	f
e	c	e	g	d	s	o	i
n	h	t	e	y	p	o	c
g	z	k	d	f	i	m	e

bathroom
garage
hallway
kitchen

lounge
office
porch
study

BIRDS

p	r	k	d	p	s	h	j
s	o	q	i	e	c	e	t
w	s	u	a	n	b	r	b
a	t	p	i	g	e	o	n
n	r	l	n	u	f	n	b
o	i	w	k	i	w	i	a
w	c	q	r	n	j	m	e
l	h	g	o	o	s	e	a

goose   **owl**
heron   **penguin**
kiwi   **pigeon**
ostrich   **swan**

FEELINGS

e	x	c	i	t	e	d	a
j	r	s	a	d	k	z	n
e	c	h	q	i	r	j	x
a	h	h	a	p	p	y	i
l	e	t	r	r	i	c	o
o	e	p	a	o	e	a	u
u	r	i	s	u	t	l	s
s	y	u	i	d	t	m	s

anxious   happy
calm   jealous
cheery   proud
excited   sad

OWLS

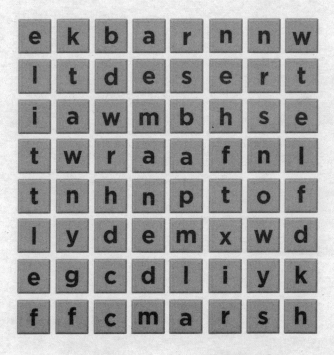

e	k	b	a	r	n	n	w
l	t	d	e	s	e	r	t
i	a	w	m	b	h	s	e
t	w	r	a	a	f	n	l
t	n	h	n	p	t	o	f
l	y	d	e	m	x	w	d
e	g	c	d	l	i	y	k
f	f	c	m	a	r	s	h

barn   maned
desert   marsh
elf   snowy
little   tawny

SEASIDE

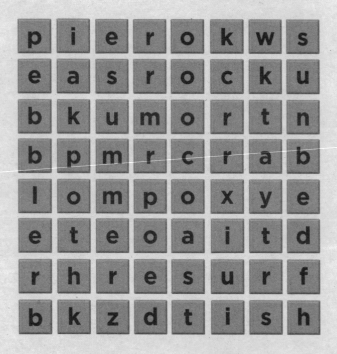

p	i	e	r	o	k	w	s
e	a	s	r	o	c	k	u
b	k	u	m	o	r	t	n
b	p	m	r	c	r	a	b
l	o	m	p	o	x	y	e
e	t	e	o	a	i	t	d
r	h	r	e	s	u	r	f
b	k	z	d	t	i	s	h

coast	pier
crab	pebble
rock	summer
sunbed	surf

FAIRGROUND KEYWORD

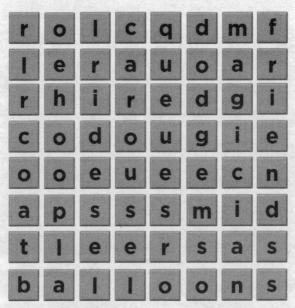

r	o	l	c	q	d	m	f
l	e	r	a	u	o	a	r
r	h	i	r	e	d	g	i
c	o	d	o	u	g	i	e
o	o	e	u	e	e	c	n
a	p	s	s	s	m	i	d
t	l	e	e	r	s	a	s
b	a	l	l	o	o	n	s

balloons   **hoopla**
carousel   **magician**
dodgems   **queue**
friends   **rides**

Write the unused letters here.
What word do they spell?

FRUIT

m	o	p	p	a	p	a	y	a	a
a	r	e	l	q	e	p	e	n	t
n	o	a	i	i	s	s	l	m	n
g	p	c	s	a	m	g	e	e	i
o	a	h	p	p	r	e	m	l	o
j	p	p	t	a	b	l	o	o	n
p	l	j	p	s	t	e	n	n	k
e	e	e	x	b	q	r	r	z	t
g	f	a	l	n	u	u	a	r	o
e	u	e	r	a	k	i	t	a	y

apple
grape
lemon
lime
mango

melon
papaya
peach
pear
raspberry

CHRISTMAS

a	q	t	l	g	n	b	e	l	l
q	p	a	g	i	f	t	s	k	r
n	t	u	r	k	e	y	c	b	o
a	p	s	t	o	c	k	i	n	g
t	z	h	o	l	l	y	a	r	f
i	t	a	n	g	e	l	f	s	a
v	l	r	c	a	r	o	l	s	m
i	b	t	e	z	u	s	k	r	i
t	a	o	j	e	k	p	q	d	l
y	i	k	e	j	z	j	x	z	y

angel	**holly**
bell	**nativity**
carols	**stocking**
family	**tree**
gifts	**turkey**

CRICKET

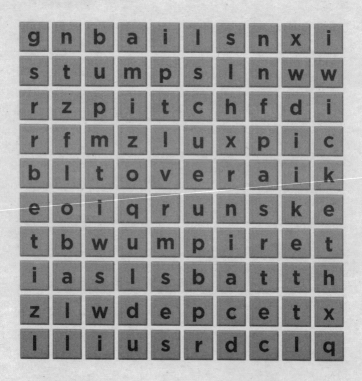

g	n	b	a	i	l	s	n	x	i
s	t	u	m	p	s	l	n	w	w
r	z	p	i	t	c	h	f	d	i
r	f	m	z	l	u	x	p	i	c
b	l	t	o	v	e	r	a	i	k
e	o	i	q	r	u	n	s	k	e
t	b	w	u	m	p	i	r	e	t
i	a	s	l	s	b	a	t	t	h
z	l	w	d	e	p	c	e	t	x
l	l	i	u	s	r	d	c	l	q

bails

ball

bat

bowler

over

pitch

runs

stumps

umpire

wicket

THE WORLD

a	m	v	c	t	v	s	h	r	a
r	c	o	n	t	i	n	e	n	t
s	p	l	u	u	w	d	a	k	m
e	c	c	z	n	a	n	e	i	o
h	l	a	e	x	t	k	n	s	s
c	i	n	v	o	e	a	u	l	p
y	f	o	k	e	r	p	i	a	h
v	f	b	r	x	r	z	q	n	e
o	l	c	p	z	t	n	y	d	r
i	r	a	p	i	d	s	x	j	e

atmosphere
cavern
cliff
continent
island

mountain
rapids
tides
volcano
water

51

'Q' WORDS

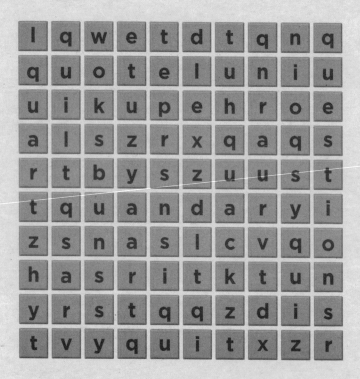

l	q	w	e	t	d	t	q	n	q
q	u	o	t	e	l	u	n	i	u
u	i	k	u	p	e	h	r	o	e
a	l	s	z	r	x	q	a	q	s
r	t	b	y	s	z	u	u	s	t
t	q	u	a	n	d	a	r	y	i
z	s	n	a	s	l	c	v	q	o
h	a	s	r	i	t	k	t	u	n
y	r	s	t	q	q	z	d	i	s
t	v	y	q	u	i	t	x	z	r

quack   question
quality   quilt
quandary   quit
quart   quiz
query   quote

CURRENCIES

p	e	s	o	u	p	c	d	y	i
p	o	u	n	d	s	f	w	n	c
p	j	d	k	s	r	w	b	d	v
u	v	g	c	a	w	q	o	w	u
y	k	w	n	d	r	l	x	m	c
e	s	c	i	r	l	u	j	e	u
n	o	n	f	a	s	j	p	j	g
d	a	n	r	n	g	q	y	e	l
r	y	b	u	d	t	i	f	c	e
k	r	o	n	a	p	e	u	r	o

dinar	peso
dollar	pound
euro	rand
franc	rupee
krona	yen

PRIMATES

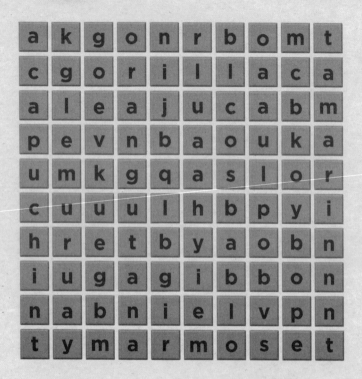

a	k	g	o	n	r	b	o	m	t
c	g	o	r	i	l	l	a	c	a
a	l	e	a	j	u	c	a	b	m
p	e	v	n	b	a	o	u	k	a
u	m	k	g	q	a	s	l	o	r
c	u	u	u	l	h	b	p	y	i
h	r	e	t	b	y	a	o	b	n
i	u	g	a	g	i	b	b	o	n
n	a	b	n	i	e	l	v	p	n
t	y	m	a	r	m	o	s	e	t

baboon
bushbaby
capuchin
gibbon
gorilla

lemur
macaque
marmoset
orangutan
tamarin

54

TYPES OF BOAT

s	q	c	n	t	v	o	g	z	t
l	l	e	o	r	f	a	o	l	c
i	p	t	e	r	a	k	n	r	u
f	u	f	e	r	r	y	d	c	t
e	r	i	v	e	r	b	o	a	t
b	p	s	b	p	y	x	l	n	e
o	e	a	d	a	r	a	a	o	r
a	k	h	u	o	r	a	c	e	s
t	p	j	m	s	x	g	f	h	w
d	i	n	g	h	y	r	e	t	t

barge
canoe
cutter
dinghy
ferry

gondola
lifeboat
raft
riverboat
yacht

SPRING

c	u	u	e	s	t	w	a	r	m
r	a	g	y	a	y	v	c	l	q
o	g	m	r	d	s	l	s	a	n
c	e	r	l	o	e	t	k	m	s
u	j	v	e	a	w	f	e	b	o
s	u	e	n	e	k	t	s	r	w
s	l	i	i	c	n	e	h	b	i
k	n	t	b	m	z	q	h	t	n
g	j	n	q	b	l	o	o	m	g
v	e	d	a	f	f	o	d	i	l

bloom	green
cleaning	growth
crocus	lamb
daffodil	sowing
easter	warm

MAKE A CAKE KEYWORD

v	s	m	a	r	z	i	p	a	n
a	p	c	c	b	s	u	g	a	r
n	a	i	h	u	c	c	t	f	b
i	t	c	o	t	r	a	i	l	l
l	u	i	c	t	e	r	m	o	e
l	l	n	o	e	a	a	e	u	n
a	a	g	l	r	m	m	r	r	d
s	t	r	a	w	b	e	r	r	y
a	n	u	t	s	n	l	e	g	g
d	l	e	e	w	h	i	s	k	s

blend   flour   sugar
butter   icing   timer
caramel   marzipan   vanilla
chocolate   nuts   whisk
cream   spatula
egg   strawberry

Write the unused letters here.
What word do they spell?

57

'W' WORDS

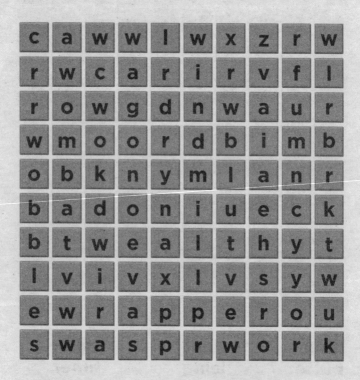

c	a	w	w	l	w	x	z	r	w
r	w	c	a	r	i	r	v	f	l
r	o	w	g	d	n	w	a	u	r
w	m	o	o	r	d	b	i	m	b
o	b	k	n	y	m	l	a	n	r
b	a	d	o	n	i	u	e	c	k
b	t	w	e	a	l	t	h	y	t
l	v	i	v	x	l	v	s	y	w
e	w	r	a	p	p	e	r	o	u
s	w	a	s	p	r	w	o	r	k

waddle   wink
wagon   wobble
wasp   wombat
wealthy   work
windmill   wrapper

CAMPING

x	o	o	l	a	n	t	e	r	n
p	l	u	b	o	z	f	m	a	c
b	i	t	f	j	o	o	o	a	r
a	m	d	p	o	n	c	m	f	v
c	a	o	d	w	m	p	w	i	r
k	t	o	x	v	f	u	c	s	m
p	c	r	r	i	f	j	q	h	z
a	h	s	r	r	o	p	e	i	l
c	e	e	t	e	n	t	k	n	p
k	s	h	e	l	t	e	r	g	r

backpack
campfire
fishing
food
lantern

matches
outdoors
rope
shelter
tent

PICNIC

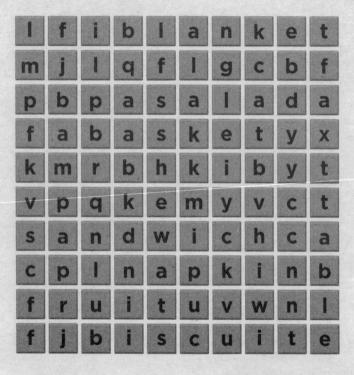

l	f	i	b	l	a	n	k	e	t
m	j	l	q	f	l	g	c	b	f
p	b	p	a	s	a	l	a	d	a
f	a	b	a	s	k	e	t	y	x
k	m	r	b	h	k	i	b	y	t
v	p	q	k	e	m	y	v	c	t
s	a	n	d	w	i	c	h	c	a
c	p	l	n	a	p	k	i	n	b
f	r	u	i	t	u	v	w	n	l
f	j	b	i	s	c	u	i	t	e

basket	napkin
biscuit	park
blanket	salad
flask	sandwich
fruit	table

BONFIRE NIGHT

e	x	p	l	o	s	i	o	n	e
d	m	s	p	p	s	n	a	f	s
f	i	z	z	l	e	o	u	i	p
a	t	s	a	z	r	i	t	r	a
x	p	u	p	p	r	s	u	e	r
u	e	l	z	l	d	e	m	w	k
s	l	z	d	a	a	t	n	o	l
r	o	c	k	e	t	y	q	r	e
c	r	a	c	k	l	e	g	k	r
b	o	n	f	i	r	e	s	s	r

autumn

bonfire

crackle

display

explosion

fireworks

fizzle

noise

rocket

sparkler

GEOGRAPHY

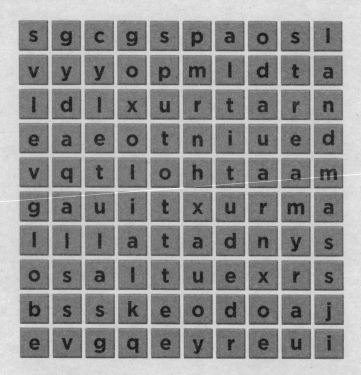

s	g	c	g	s	p	a	o	s	l
v	y	y	o	p	m	l	d	t	a
l	d	l	x	u	r	t	a	r	n
e	a	e	o	t	n	i	u	e	d
v	q	t	l	o	h	t	a	a	m
g	a	u	i	t	x	u	r	m	a
l	l	l	a	t	a	d	n	y	s
o	s	a	l	t	u	e	x	r	s
b	s	s	k	e	o	d	o	a	j
e	v	g	q	e	y	r	e	u	i

altitude	**lake**
country	**landmass**
delta	**latitude**
equator	**stream**
globe	**valley**

FOSSILS

a	j	a	w	o	o	d	d	q	p
m	c	i	h	g	r	i	c	r	w
b	o	n	e	o	n	a	e	y	s
e	u	z	c	o	s	s	h	k	j
r	j	k	s	t	e	z	e	s	z
d	s	a	d	r	r	l	n	t	c
q	u	h	v	r	e	a	w	y	a
r	k	e	e	t	x	a	c	n	x
v	a	b	o	l	v	x	o	k	q
g	l	n	n	l	l	y	a	q	s

amber	rock
bone	shell
cast	skeleton
dinosaur	tracks
preserve	wood

METALS

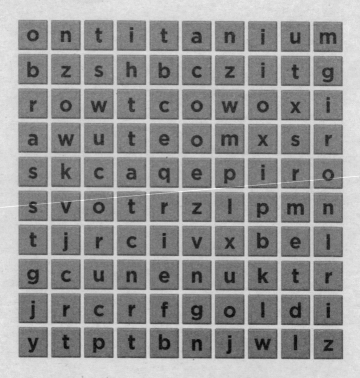

o	n	t	i	t	a	n	i	u	m
b	z	s	h	b	c	z	i	t	g
r	o	w	t	c	o	w	o	x	i
a	w	u	t	e	o	m	x	s	r
s	k	c	a	q	e	p	i	r	o
s	v	o	t	r	z	l	p	m	n
t	j	r	c	i	v	x	b	e	l
g	c	u	n	e	u	k	t	r
j	r	c	r	f	g	o	l	d	i
y	t	p	t	b	n	j	w	l	z

brass
copper
gold
iron
mercury

silver
steel
tin
titanium
zinc

SWIMMING

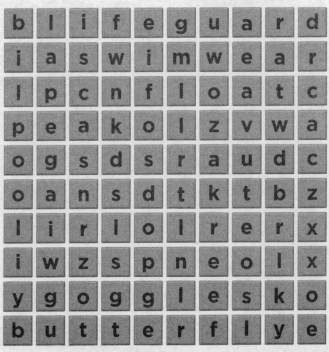

b	l	i	f	e	g	u	a	r	d
i	a	s	w	i	m	w	e	a	r
l	p	c	n	f	l	o	a	t	c
p	e	a	k	o	l	z	v	w	a
o	g	s	d	s	r	a	u	d	c
o	a	n	s	d	t	k	t	b	z
l	i	r	l	o	l	r	e	r	x
i	w	z	s	p	n	e	o	l	x
y	g	o	g	g	l	e	s	k	o
b	u	t	t	e	r	f	l	y	e

backstroke
butterfly
float
goggles
lesson

lifeguard
paddle
pool
snorkel
swimwear

VEHICLES

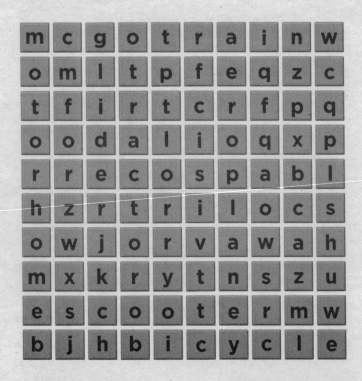

m	c	g	o	t	r	a	i	n	w
o	m	l	t	p	f	e	q	z	c
t	f	i	r	t	c	r	f	p	q
o	o	d	a	l	i	o	q	x	p
r	r	e	c	o	s	p	a	b	l
h	z	r	t	r	i	l	o	c	s
o	w	j	o	r	v	a	w	a	h
m	x	k	r	y	t	n	s	z	u
e	s	c	o	o	t	e	r	m	w
b	j	h	b	i	c	y	c	l	e

aeroplane	lorry
bicycle	motorhome
boat	scooter
coach	tractor
glider	train

SNAKES

d	a	o	h	h	s	e	p	b	j
c	r	t	s	l	i	t	h	e	r
o	u	e	u	b	d	v	l	w	c
g	p	u	p	t	e	l	l	b	c
t	e	u	e	t	w	s	o	s	o
m	a	m	b	a	i	a	r	v	b
p	y	t	h	o	n	l	i	h	r
w	h	a	u	h	d	p	e	z	a
p	s	c	a	l	e	s	i	n	e
a	d	d	e	r	r	z	t	t	p

adder	reptile
boa	scales
cobra	sidewinder
mamba	slither
python	viper

CAKES

u	i	b	i	r	t	h	d	a	y
u	n	c	m	u	f	f	i	n	j
c	h	o	c	o	l	a	t	e	g
t	c	q	a	k	d	b	s	i	f
t	z	u	w	p	r	c	c	s	c
f	o	e	p	o	t	l	o	p	a
y	d	r	w	c	e	x	n	o	r
u	a	n	t	m	a	l	e	n	r
u	i	w	o	e	m	k	i	g	o
e	g	n	j	b	e	o	e	e	t

birthday   **lemon**
brownie   **muffin**
carrot   **scone**
chocolate   **sponge**
cupcake   **torte**

NATURAL EARTH KEYWORD

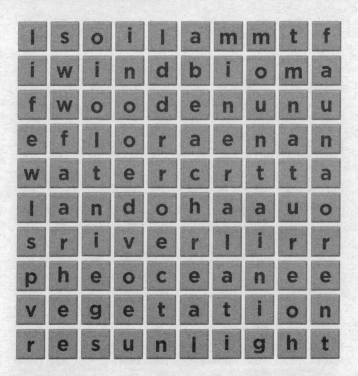

l	s	o	i	l	a	m	m	t	f
i	w	i	n	d	b	i	o	m	a
f	w	o	o	d	e	n	u	n	u
e	f	l	o	r	a	e	n	a	n
w	a	t	e	r	c	r	t	t	a
l	a	n	d	o	h	a	a	u	o
s	r	i	v	e	r	l	i	r	r
p	h	e	o	c	e	a	n	e	e
v	e	g	e	t	a	t	i	o	n
r	e	s	u	n	l	i	g	h	t

beach	**mountain**	**sunlight**
fauna	**nature**	**vegetation**
flora	**ocean**	**water**
land	**ore**	**wind**
life	**river**	**wood**
mineral	**soil**	

Write the unused letters here.
What word do they spell?

HOLIDAY

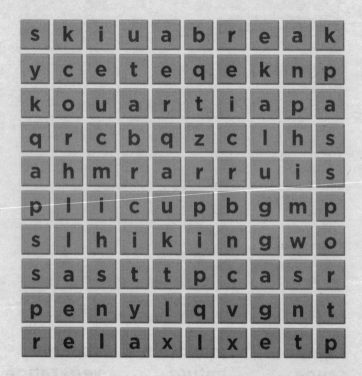

s	k	i	u	a	b	r	e	a	k
y	c	e	t	e	q	e	k	n	p
k	o	u	a	r	t	i	a	p	a
q	r	c	b	q	z	c	l	h	s
a	h	m	r	a	r	r	u	i	s
p	l	i	c	u	p	b	g	m	p
s	l	h	i	k	i	n	g	w	o
s	a	s	t	t	p	c	a	s	r
p	e	n	y	l	q	v	g	n	t
r	e	l	a	x	l	x	e	t	p

beach
break
city
cruise
hiking

luggage
passport
relax
ski
scuba

CINEMA TRIP

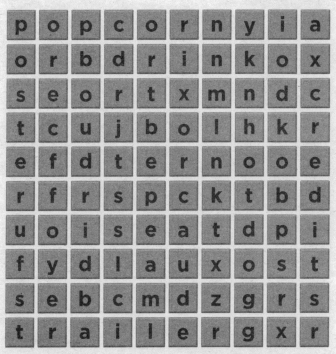

p	o	p	c	o	r	n	y	i	a
o	r	b	d	r	i	n	k	o	x
s	e	o	r	t	x	m	n	d	c
t	c	u	j	b	o	l	h	k	r
e	f	d	t	e	r	n	o	o	e
r	f	r	s	p	c	k	t	b	d
u	o	i	s	e	a	t	d	p	i
f	y	d	l	a	u	x	o	s	t
s	e	b	c	m	d	z	g	r	s
t	r	a	i	l	e	r	g	x	r

credits   popcorn
drink   poster
film   projector
foyer   seat
hotdog   trailer

UNDER THE SEA

t	d	o	l	p	h	i	n	s	k
p	s	k	r	p	r	t	b	t	e
w	w	e	k	t	u	m	s	a	l
h	s	h	a	r	k	t	c	r	p
a	m	c	t	h	i	n	o	f	k
l	o	l	l	n	o	c	h	i	p
e	e	o	g	i	o	r	n	s	c
i	i	r	m	r	s	u	s	h	e
r	a	l	a	c	i	r	w	e	e
y	p	l	a	e	c	t	x	a	l

coral   shark
dolphin   starfish
eel   stingray
kelp   turtle
seahorse   whale

SCHOOL SUBJECTS

r	e	l	i	g	i	o	n	i	l
a	g	i	m	a	t	h	s	r	e
c	h	e	m	i	s	t	r	y	h
i	h	v	o	m	o	d	r	p	i
u	h	h	u	g	r	a	s	z	s
z	a	s	l	a	r	g	o	a	t
i	i	u	m	w	a	a	h	g	o
c	p	a	z	b	s	r	p	s	r
p	h	y	s	i	c	s	t	h	y
h	r	b	i	o	l	o	g	y	y

art
biology
chemistry
drama
geography

history
maths
music
physics
religion

MUSEUM

v	r	e	s	e	a	r	c	h	n
a	r	c	h	i	v	e	i	n	o
d	t	i	c	k	e	t	d	d	h
e	i	j	u	c	d	o	x	c	i
x	c	s	e	o	c	p	x	u	s
h	y	q	p	u	i	h	h	l	t
i	i	d	m	l	q	w	j	t	o
b	y	e	u	c	a	r	t	u	r
i	n	u	f	v	u	y	z	r	y
t	s	c	i	e	n	c	e	e	e

archive   exhibit
art   history
culture   research
display   science
document   ticket

TYPES OF DANCE

q	e	t	j	e	c	w	s	r	f
s	u	x	r	z	a	a	d	u	a
f	a	i	v	a	l	l	k	m	n
l	f	l	c	s	y	t	c	b	d
a	o	b	s	k	p	z	q	a	a
m	x	t	a	a	s	p	p	g	n
e	t	q	s	l	o	t	r	u	g
n	r	z	w	p	l	s	e	e	o
c	o	o	t	n	q	e	s	p	z
o	t	m	a	m	b	o	t	s	a

ballet

calypso

fandango

flamenco

foxtrot

mambo

quickstep

rumba

salsa

waltz

IN THE DESERT

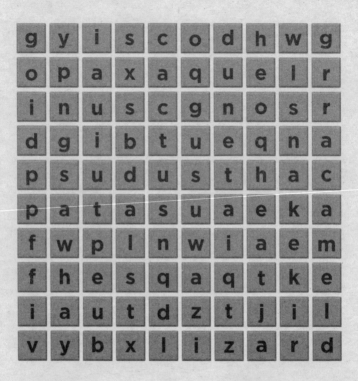

g	y	i	s	c	o	d	h	w	g
o	p	a	x	a	q	u	e	l	r
i	n	u	s	c	g	n	o	s	r
d	g	i	b	t	u	e	q	n	a
p	s	u	d	u	s	t	h	a	c
p	a	t	a	s	u	a	e	k	a
f	w	p	l	n	w	i	a	e	m
f	h	e	s	q	a	q	t	k	e
i	a	u	t	d	z	t	j	i	l
v	y	b	x	l	i	z	a	r	d

cactus

camel

dune

dust

heat

iguana

lizard

oasis

sand

snake

ROYALTY

p	z	p	w	x	y	i	c	p	k
q	a	z	r	m	q	e	l	u	n
u	a	l	g	i	r	r	v	r	i
e	o	b	a	e	n	u	i	p	g
e	h	s	m	c	i	c	l	l	h
n	j	o	k	a	e	y	e	e	t
l	n	o	i	s	a	a	e	s	r
y	f	x	n	t	t	w	i	p	s
t	s	i	g	l	c	r	o	w	n
h	k	k	r	e	l	p	a	o	e

castle   palace
ceremony   princess
crown   purple
king   queen
knight   ruler

SPACE

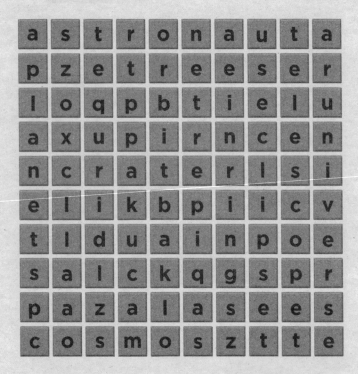

a	s	t	r	o	n	a	u	t	a
p	z	e	t	r	e	e	s	e	r
l	o	q	p	b	t	i	e	l	u
a	x	u	p	i	r	n	c	e	n
n	c	r	a	t	e	r	l	s	i
e	l	i	k	b	p	i	i	c	v
t	l	d	u	a	i	n	p	o	e
s	a	l	c	k	q	g	s	p	r
p	a	z	a	l	a	s	e	e	s
c	o	s	m	o	s	z	t	t	e

astronaut   orbit
cosmos   planet
crater   rings
eclipse   telescope
nebula   universe

DOGS

r	d	a	c	h	s	h	u	n	d
c	o	w	h	i	p	p	e	t	a
z	h	t	u	t	i	s	t	a	l
i	b	i	t	c	o	r	g	i	m
n	u	p	h	w	b	o	a	k	a
v	l	o	w	u	e	v	o	b	t
g	l	o	d	s	a	i	w	z	i
v	d	d	p	u	g	h	l	x	a
v	o	l	o	g	l	t	u	e	n
s	g	e	s	i	e	y	i	a	r

beagle

bulldog

chihuahua

corgi

dachshund

dalmatian

poodle

pug

rottweiler

whippet

WHALES

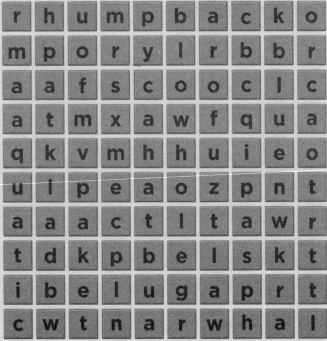

r	h	u	m	p	b	a	c	k	o
m	p	o	r	y	l	r	b	b	r
a	a	f	s	c	o	o	c	l	c
a	t	m	x	a	w	f	q	u	a
q	k	v	m	h	h	u	i	e	o
u	l	p	e	a	o	z	p	n	t
a	a	a	c	t	l	t	a	w	r
t	d	k	p	b	e	l	s	k	t
i	b	e	l	u	g	a	p	r	t
c	w	t	n	a	r	w	h	a	l

aquatic   fin

beluga   humpback

blowhole   mammal

blue   narwhal

bowhead   orca

FLOWERS KEYWORD

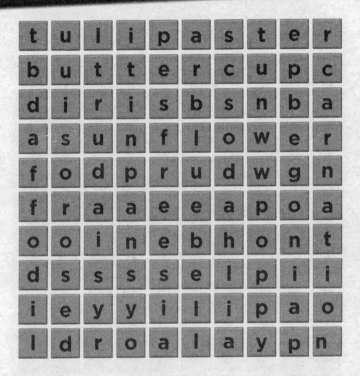

t	u	l	i	p	a	s	t	e	r
b	u	t	t	e	r	c	u	p	c
d	i	r	i	s	b	s	n	b	a
a	s	u	n	f	l	o	w	e	r
f	o	d	p	r	u	d	w	g	n
f	r	a	a	e	e	a	p	o	a
o	o	i	n	e	b	h	o	n	t
d	s	s	s	s	e	l	p	i	i
i	e	y	y	i	l	i	p	a	o
l	d	r	o	a	l	a	y	p	n

aster	dahlia	rose
begonia	daisy	sunflower
bluebell	freesia	tulip
buttercup	iris	
carnation	pansy	
daffodil	poppy	

Write the unused letters here.
What word do they spell?

81

'J' WORDS

q	a	j	a	w	j	o	l	l	y
j	p	j	o	t	e	o	a	j	g
j	e	r	o	c	p	v	u	u	j
o	t	w	q	u	k	u	u	n	e
y	y	b	e	o	r	e	u	i	r
f	j	f	o	l	l	n	y	o	s
u	u	e	t	j	l	c	e	r	e
l	m	w	l	n	o	e	v	y	y
s	p	p	e	l	e	k	r	e	l
a	q	s	t	i	y	e	e	y	n

jelly   jolly
jersey   journey
jewellery   joyful
jockey   jump
joke   junior

82

AT THE FARM

u	g	u	a	p	l	p	i	g	g
l	o	c	t	d	u	c	k	s	k
t	a	p	f	s	h	e	e	p	c
w	t	o	a	t	l	c	i	c	u
e	r	n	r	q	h	x	r	h	q
c	t	y	m	c	s	o	x	o	g
o	a	p	e	n	p	e	b	r	z
w	i	y	r	s	h	s	a	s	w
i	c	u	l	p	h	k	r	e	o
u	k	p	o	r	t	u	n	e	x

barn   **goat**
cow   **horse**
crops   **pig**
duck   **pony**
farmer   **sheep**

POSITIVE WORDS

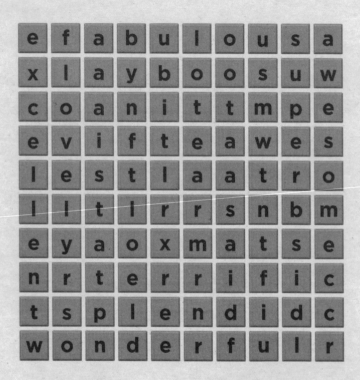

e	f	a	b	u	l	o	u	s	a
x	l	a	y	b	o	o	s	u	w
c	o	a	n	i	t	t	m	p	e
e	v	i	f	t	e	a	w	e	s
l	e	s	t	l	a	a	t	r	o
l	l	t	l	r	r	s	n	b	m
e	y	a	o	x	m	a	t	s	e
n	r	t	e	r	r	i	f	i	c
t	s	p	l	e	n	d	i	d	c
w	o	n	d	e	r	f	u	l	r

awesome
excellent
fabulous
fantastic
lovely

splendid
stellar
superb
terrific
wonderful

TRANSPORT

h	o	v	e	r	c	r	a	f	t
e	b	c	r	u	i	s	e	r	s
l	k	a	b	z	e	q	n	h	k
i	u	r	t	p	b	h	i	k	t
c	z	b	e	b	o	p	u	b	z
o	t	a	k	r	z	t	e	m	v
p	x	u	s	b	r	q	o	n	a
t	o	e	x	a	e	p	t	y	n
e	k	b	m	s	e	n	b	k	z
r	t	a	n	d	e	m	k	o	b

car
cruise
helicopter
horse
hovercraft

moped
ship
tandem
tram
van

HUMAN BODY

l	y	k	y	o	w	h	v	y	s
r	i	a	s	v	j	i	h	y	t
d	m	v	b	e	y	e	s	h	o
q	m	q	e	a	n	v	h	e	m
p	a	n	c	r	e	a	s	a	a
p	a	b	i	s	d	k	g	r	c
e	i	r	p	y	s	y	z	t	h
d	y	a	f	f	l	u	n	g	s
n	n	i	t	e	e	t	h	y	b
h	a	n	k	i	d	n	e	y	s

brain

ears

eyes

heart

kidneys

liver

lungs

pancreas

stomach

teeth

JUNGLE

j	a	g	u	a	r	s	y	i	a
y	g	e	t	r	e	e	s	n	r
l	o	h	p	r	t	i	a	p	t
r	r	u	p	q	r	c	u	h	i
a	i	m	r	e	o	r	a	i	g
l	l	i	k	n	p	b	i	m	e
s	l	d	d	a	i	t	a	w	r
s	a	a	c	t	c	c	f	s	b
p	g	n	a	l	a	v	i	n	e
b	t	t	c	w	l	z	t	t	p

anaconda   **macaw**
gorilla   **tiger**
habitat   **trees**
humid   **tropical**
jaguar   **vine**

BUILDINGS

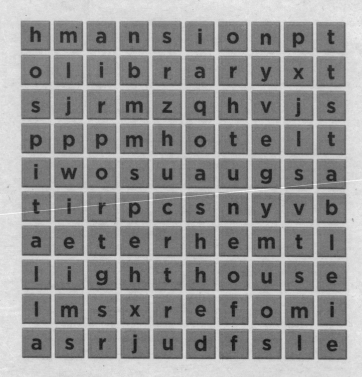

h	m	a	n	s	i	o	n	p	t
o	l	i	b	r	a	r	y	x	t
s	j	r	m	z	q	h	v	j	s
p	p	p	m	h	o	t	e	l	t
i	w	o	s	u	a	u	g	s	a
t	i	r	p	c	s	n	y	v	b
a	e	t	e	r	h	e	m	t	l
l	i	g	h	t	h	o	u	s	e
l	m	s	x	r	e	f	o	m	i
a	s	r	j	u	d	f	s	l	e

airport lighthouse
gym mansion
hospital museum
hotel school
library stable

NOCTURNAL ANIMALS

t	s	c	o	r	p	i	o	n	o
t	i	d	e	c	o	y	o	t	e
s	s	i	b	g	t	u	h	h	b
g	f	n	p	s	e	e	a	y	s
w	s	g	h	b	d	h	l	e	i
s	c	o	u	g	a	r	r	n	g
l	s	r	e	k	r	d	m	a	f
n	y	h	o	w	l	c	g	c	o
v	o	q	t	t	j	x	u	e	x
g	s	k	u	n	k	f	v	n	r

badger   hedgehog
cougar   hyena
coyote   owl
dingo   scorpion
fox   skunk

DRINKS

t	c	s	x	g	n	a	a	p	r
g	o	a	m	k	r	s	p	o	j
w	c	c	t	o	q	g	r	r	u
a	o	d	e	u	o	g	z	w	i
t	a	i	a	l	c	t	g	r	c
e	w	s	c	o	l	a	h	n	e
r	h	d	o	a	r	o	r	i	t
m	i	l	k	s	h	a	k	e	e
w	t	c	o	f	f	e	e	t	b
c	l	e	m	o	n	a	d	e	p

cocoa   milkshake
coffee   smoothie
cola   squash
juice   tea
lemonade   water

AT A HOTEL KEYWORD

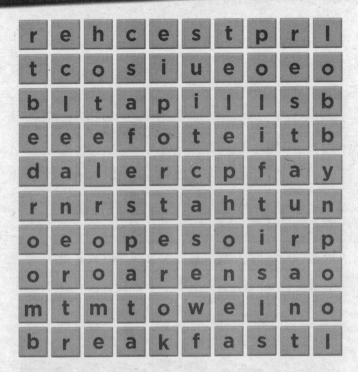

r	e	h	c	e	s	t	p	r	l
t	c	o	s	i	u	e	o	e	o
b	l	t	a	p	i	l	l	s	b
e	e	e	f	o	t	e	i	t	b
d	a	l	e	r	c	p	f	a	y
r	n	r	s	t	a	h	t	u	n
o	e	o	p	e	s	o	i	r	p
o	r	o	a	r	e	n	s	a	o
m	t	m	t	o	w	e	l	n	o
b	r	e	a	k	f	a	s	t	l

bedroom   lobby   spa
breakfast   pool   suitcase
cleaner   porter   telephone
hotel room   restaurant   towel
lift   safe

Write the unused letters here.
What word do they spell?

91

READING

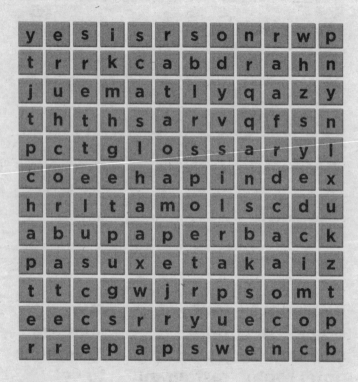

y	e	s	i	s	r	s	o	n	r	w	p
t	r	r	k	c	a	b	d	r	a	h	n
j	u	e	m	a	t	l	y	q	a	z	y
t	h	t	h	s	a	r	v	q	f	s	n
p	c	t	g	l	o	s	s	a	r	y	l
c	o	e	e	h	a	p	i	n	d	e	x
h	r	l	t	a	m	o	l	s	c	d	u
a	b	u	p	a	p	e	r	b	a	c	k
p	a	s	u	x	e	t	a	k	a	i	z
t	t	c	g	w	j	r	p	s	o	m	t
e	e	c	s	r	r	y	u	e	c	o	p
r	r	e	p	a	p	s	w	e	n	c	b

author	comic	letter
book	glossary	newspaper
brochure	hardback	paperback
chapter	index	poetry

SUMMER DAY

f	l	o	g	b	d	a	p	j	k	y	k
o	b	i	d	r	b	z	x	n	b	a	o
o	a	y	u	n	a	s	i	t	s	z	u
t	r	a	o	p	k	s	n	e	t	x	t
b	b	z	b	s	b	y	s	i	c	b	s
a	e	o	e	k	e	s	d	y	o	n	i
l	c	q	z	b	a	e	c	i	z	u	d
l	u	o	a	l	d	l	s	l	i	d	e
p	e	m	g	l	i	y	w	a	k	n	p
k	d	n	b	n	j	i	l	d	w	a	k
z	u	q	g	m	k	l	n	k	j	b	o
s	w	i	m	m	i	n	g	u	y	o	x

barbecue   golf   slide
cycling   grass   sunglasses
football   outside   swimming
gazebo   seesaw   swing

BIRTHSTONES

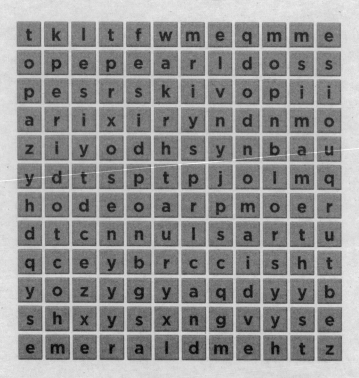

t	k	l	t	f	w	m	e	q	m	m	e
o	p	e	p	e	a	r	l	d	o	s	s
p	e	s	r	s	k	i	v	o	p	i	i
a	r	i	x	i	r	y	n	d	n	m	o
z	i	y	o	d	h	s	y	n	b	a	u
y	d	t	s	p	t	p	j	o	l	m	q
h	o	d	e	o	a	r	p	m	o	e	r
d	t	c	n	n	u	l	s	a	r	t	u
q	c	e	y	b	r	c	c	i	s	h	t
y	o	z	y	g	y	a	q	d	y	y	b
s	h	x	y	s	x	n	g	v	y	s	e
e	m	e	r	a	l	d	m	e	h	t	z

amethyst   moonstone   ruby
diamond   opal   sapphire
emerald   pearl   topaz
garnet   peridot   turquoise

TECHNOLOGY

r	a	u	t	o	m	a	t	i	o	n	y
n	q	j	m	t	e	n	r	e	t	n	i
o	g	t	c	s	y	w	p	t	i	a	e
i	f	a	r	o	s	s	e	c	o	r	p
t	y	m	d	r	d	f	b	s	a	f	k
p	r	r	l	a	b	a	s	w	i	e	t
y	w	t	t	r	r	e	t	r	y	s	o
r	d	a	m	c	l	f	e	b	b	e	b
c	t	s	o	e	o	w	o	q	o	r	o
n	d	d	r	s	a	a	f	k	p	v	r
e	e	i	k	l	r	y	m	l	c	e	i
k	w	r	l	d	c	z	v	z	o	r	s

automation	**firewall**	**robot**
barcode	**internet**	**server**
data	**keyboard**	**software**
encryption	**processor**	**wireless**

TENNIS

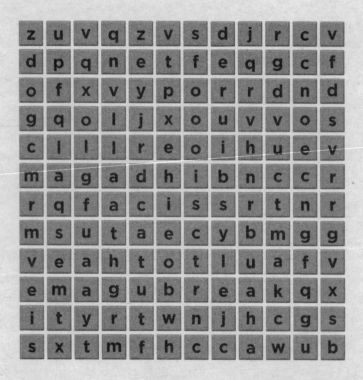

z	u	v	q	z	v	s	d	j	r	c	v
d	p	q	n	e	t	f	e	q	g	c	f
o	f	x	v	y	p	o	r	r	d	n	d
g	q	o	l	j	x	o	u	v	v	o	s
c	l	l	l	r	e	o	i	h	u	e	v
m	a	g	a	d	h	i	b	n	c	c	r
r	q	f	a	c	i	s	s	r	t	n	r
m	s	u	t	a	e	c	y	b	m	g	g
v	e	a	h	t	o	t	l	u	a	f	v
e	m	a	g	u	b	r	e	a	k	q	x
i	t	y	r	t	w	n	j	h	c	g	s
s	x	t	m	f	h	c	c	a	w	u	b

ace	game	point
break	love	rally
court	match	serve
fault	net	set

FOOTBALL

i	i	e	y	g	m	e	r	o	c	s	m
y	l	m	e	q	e	j	s	g	l	x	z
d	p	b	c	a	e	e	l	k	c	a	t
x	e	r	t	k	r	a	c	s	r	j	x
u	n	e	e	c	e	g	s	c	d	e	g
l	a	d	a	i	f	k	i	r	d	n	p
k	l	n	m	k	e	z	a	i	o	i	x
z	t	e	b	e	r	w	s	h	a	a	s
t	y	f	z	s	r	f	r	q	l	t	s
g	c	e	p	o	f	p	f	a	x	p	a
t	j	d	f	o	p	i	o	g	k	a	p
l	t	y	z	i	r	g	c	d	n	c	c

captain	**kick**	**referee**
defender	**offside**	**score**
forward	**pass**	**tackle**
goal	**penalty**	**team**

CONFIDENT WORDS

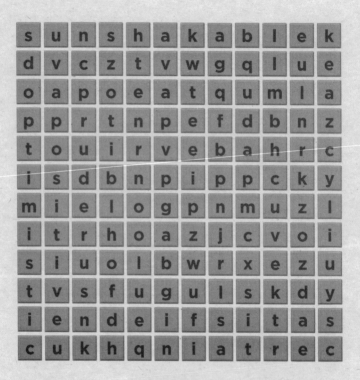

s	u	n	s	h	a	k	a	b	l	e	k
d	v	c	z	t	v	w	g	q	l	u	e
o	a	p	o	e	a	t	q	u	m	l	a
p	p	r	t	n	p	e	f	d	b	n	z
t	o	u	i	r	v	e	b	a	h	r	c
i	s	d	b	n	p	i	p	p	c	k	y
m	i	e	l	o	g	p	n	m	u	z	l
i	t	r	h	o	a	z	j	c	v	o	i
s	i	u	o	l	b	w	r	x	e	z	u
t	v	s	f	u	g	u	l	s	k	d	y
i	e	n	d	e	i	f	s	i	t	a	s
c	u	k	h	q	n	i	a	t	r	e	c

bold	hopeful	sure
certain	optimistic	unflappable
convinced	positive	unshakable
daring	satisfied	upbeat

DINOSAURS

r	o	i	p	r	e	d	a	t	o	r	b
t	o	r	g	e	s	w	a	l	c	r	d
r	a	t	f	u	t	a	a	t	o	v	i
i	b	l	p	k	a	a	d	n	r	u	p
c	p	v	l	a	s	n	t	d	q	l	l
e	s	l	r	o	r	o	o	k	a	h	o
r	r	l	o	p	s	i	e	d	t	a	d
a	v	g	p	a	r	a	c	g	o	o	o
t	n	s	u	m	r	e	u	o	g	n	c
o	w	r	i	v	u	g	y	r	l	s	u
p	u	t	c	n	i	t	x	e	u	e	s
s	t	e	g	o	s	a	u	r	u	s	v

allosaurus   eggs   prey

brontosaurus   extinct   stegosaurus

claws   iguanodon   triceratops

diplodocus   predator   velociraptor

ON THE ROAD

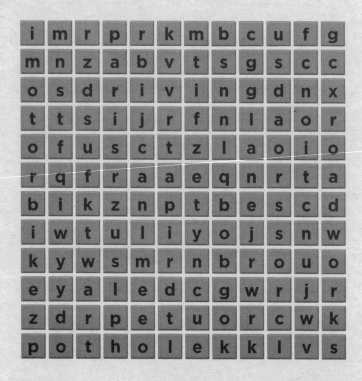

i	m	r	p	r	k	m	b	c	u	f	g
m	n	z	a	b	v	t	s	g	s	c	c
o	s	d	r	i	v	i	n	g	d	n	x
t	t	s	i	j	r	f	n	l	a	o	r
o	f	u	s	c	t	z	l	a	o	i	o
r	q	f	r	a	a	e	q	n	r	t	a
b	i	k	z	n	p	t	b	e	s	c	d
i	w	t	u	l	i	y	o	j	s	n	w
k	y	w	s	m	r	n	b	r	o	u	o
e	y	a	l	e	d	c	g	w	r	j	r
z	d	r	p	e	t	u	o	r	c	w	k
p	o	t	h	o	l	e	k	k	l	v	s

bypass	indicator	pothole
crossroads	junction	roadworks
delay	lane	route
driving	motorbike	turning

PHOTOGRAPHY KEYWORD

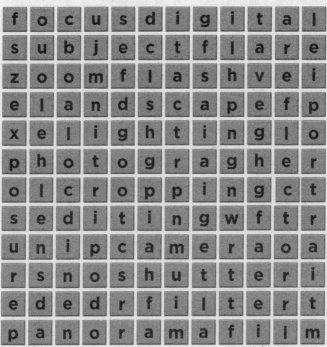

f	o	c	u	s	d	i	g	i	t	a	l
s	u	b	j	e	c	t	f	l	a	r	e
z	o	o	m	f	l	a	s	h	v	e	i
e	l	a	n	d	s	c	a	p	e	f	p
x	e	l	i	g	h	t	i	n	g	l	o
p	h	o	t	o	g	r	a	g	h	e	r
o	l	c	r	o	p	p	i	n	g	c	t
s	e	d	i	t	i	n	g	w	f	t	r
u	n	i	p	c	a	m	e	r	a	o	a
r	s	n	o	s	h	u	t	t	e	r	i
e	d	e	d	r	f	i	l	t	e	r	t
p	a	n	o	r	a	m	a	f	i	l	m

camera   flare   photographer
cropping   flash   portrait
digital   focus   reflector
editing   landscape   shutter
exposure   lens   subject
film   lighting   tripod
filter   panorama   zoom

Write the unused letters here.
What word do they spell?

101

ROCKS

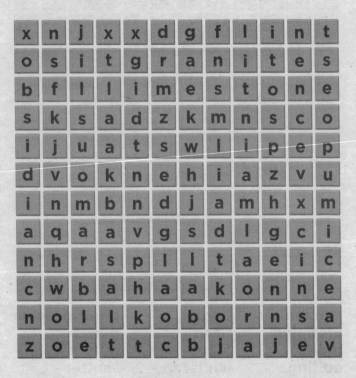

x	n	j	x	x	d	g	f	l	i	n	t
o	s	i	t	g	r	a	n	i	t	e	s
b	f	l	l	i	m	e	s	t	o	n	e
s	k	s	a	d	z	k	m	n	s	c	o
i	j	u	a	t	s	w	l	i	p	e	p
d	v	o	k	n	e	h	i	a	z	v	u
i	n	m	b	n	d	j	a	m	h	x	m
a	q	a	a	v	g	s	d	l	g	c	i
n	h	r	s	p	l	l	t	a	e	i	c
c	w	b	a	h	a	a	k	o	n	n	e
n	o	l	l	k	o	b	o	r	n	s	a
z	o	e	t	t	c	b	j	a	j	e	v

basalt	granite	pumice
chalk	limestone	sandstone
coal	marble	shale
flint	obsidian	slate

MYTHICAL CREATURES

y	g	g	m	v	u	n	i	l	b	o	g
d	f	j	m	e	a	y	v	x	r	b	c
f	e	f	c	f	r	m	y	u	e	q	x
n	k	i	i	n	f	m	p	v	f	n	i
r	f	n	p	r	i	g	a	i	k	z	n
o	l	c	o	e	g	f	x	i	r	h	e
c	o	e	h	g	g	o	f	u	d	e	o
i	w	n	u	n	a	a	p	i	o	p	h
n	e	t	b	e	o	r	s	p	r	t	p
u	r	a	g	r	e	m	d	u	i	g	n
g	e	u	x	i	j	a	l	i	s	h	t
y	w	r	c	s	v	l	y	o	a	i	f

centaur   hippogriff   siren
dragon   mermaid   unicorn
goblin   pegasus   vampire
griffin   phoenix   werewolf

STATIONERY

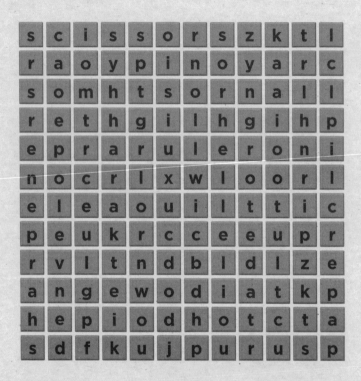

s	c	i	s	s	o	r	s	z	k	t	l
r	a	o	y	p	i	n	o	y	a	r	c
s	o	m	h	t	s	o	r	n	a	l	l
r	e	t	h	g	i	l	h	g	i	h	p
e	p	r	a	r	u	l	e	r	o	n	i
n	o	c	r	l	x	w	l	o	o	r	l
e	l	e	a	o	u	i	l	t	t	i	c
p	e	u	k	r	c	c	e	e	u	p	r
r	v	l	t	n	d	b	l	d	l	z	e
a	n	g	e	w	o	d	i	a	t	k	p
h	e	p	i	o	d	h	o	t	c	t	a
s	d	f	k	u	j	p	u	r	u	s	p

calculator	glue	pencil
card	highlighter	ruler
crayon	notebook	scissors
envelope	paperclip	sharpener

AT THE CIRCUS

s	j	t	r	p	c	i	s	u	m	b	s
q	u	n	i	c	y	c	l	e	k	z	t
u	g	a	d	a	c	a	p	u	g	x	r
s	g	u	c	x	u	o	d	n	k	o	o
c	l	o	w	n	r	i	i	s	o	u	n
k	i	b	s	t	c	c	u	d	j	l	g
o	n	x	h	s	n	d	k	c	n	h	m
u	g	g	n	a	t	a	b	o	r	c	a
h	i	p	l	k	k	s	z	e	k	t	n
t	r	a	p	e	z	e	t	t	r	z	r
x	b	j	o	s	t	i	l	t	s	i	q
u	p	d	n	u	o	r	g	r	i	a	f

acrobat	**fire**	**strongman**
balancing	**juggling**	**tightrope**
clown	**music**	**trapeze**
fairground	**stilts**	**unicycle**

SHAPES

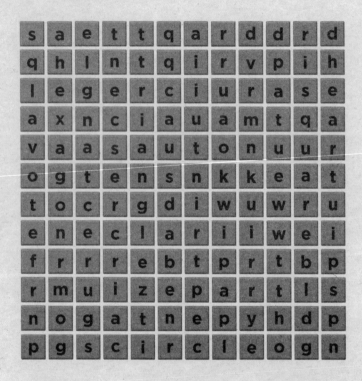

s	a	e	t	t	q	a	r	d	d	r	d
q	h	l	n	t	q	i	r	v	p	i	h
l	e	g	e	r	c	i	u	r	a	s	e
a	x	n	c	i	a	u	a	m	t	q	a
v	a	a	s	a	u	t	o	n	u	u	r
o	g	t	e	n	s	n	k	k	e	a	t
t	o	c	r	g	d	i	w	u	w	r	u
e	n	e	c	l	a	r	i	i	w	e	i
f	r	r	r	e	b	t	p	r	t	b	p
r	m	u	i	z	e	p	a	r	t	l	s
n	o	g	a	t	n	e	p	y	h	d	p
p	g	s	c	i	r	c	l	e	o	g	n

circle

crescent

diamond

heart

hexagon

oval

pentagon

rectangle

square

star

trapezium

triangle

THE OCEAN

p	j	r	n	r	h	o	l	r	q	s	i
f	t	s	t	n	e	r	r	u	c	r	s
c	b	l	r	o	x	q	f	c	f	e	x
l	m	g	t	i	d	e	s	r	z	m	w
t	m	s	o	u	t	h	e	r	n	u	t
s	m	e	w	y	n	c	e	e	d	l	r
u	c	p	j	i	l	o	a	e	m	o	e
n	h	a	k	i	r	r	e	t	u	v	n
a	k	l	m	b	t	w	z	l	s	r	c
m	i	a	p	h	a	b	u	a	s	e	h
i	t	f	j	e	x	p	u	s	e	p	t
e	l	u	s	c	o	r	a	l	l	i	n

climate	mussel	tides
coral	salt	trench
current	seaweed	tsunami
earth	southern	volume

HISTORY

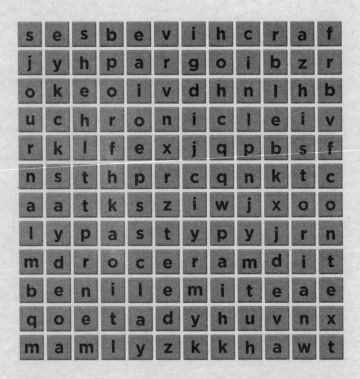

s	e	s	b	e	v	i	h	c	r	a	f
j	y	h	p	a	r	g	o	i	b	z	r
o	k	e	o	i	v	d	h	n	l	h	b
u	c	h	r	o	n	i	c	l	e	i	v
r	k	l	f	e	x	j	q	p	b	s	f
n	s	t	h	p	r	c	q	n	k	t	c
a	a	t	k	s	z	i	w	j	x	o	o
l	y	p	a	s	t	y	p	y	j	r	n
m	d	r	o	c	e	r	a	m	d	i	t
b	e	n	i	l	e	m	i	t	e	a	e
q	o	e	t	a	d	y	h	u	v	n	x
m	a	m	l	y	z	k	k	h	a	w	t

archive	**date**	**myth**
biography	**empire**	**past**
chronicle	**historian**	**record**
context	**journal**	**timeline**

ORCHESTRA

i	n	o	i	s	s	u	c	r	e	p	m
a	w	r	s	s	a	r	b	t	n	d	w
y	n	o	h	p	m	y	s	o	x	b	c
o	i	t	l	q	m	r	i	q	v	l	f
p	e	c	y	a	m	t	r	r	w	v	n
e	c	u	z	u	c	h	n	o	s	a	m
r	n	d	e	e	z	i	o	o	i	e	y
a	e	n	s	m	t	d	s	c	t	p	o
v	i	o	s	u	w	h	i	s	v	a	m
u	d	c	w	i	y	s	u	e	a	u	b
m	u	h	n	w	u	m	k	n	l	l	q
u	a	d	d	m	t	u	n	i	n	g	c

audience	conductor	section
baton	musician	symphony
brass	opera	tuning
classical	percussion	woodwind

VERBS

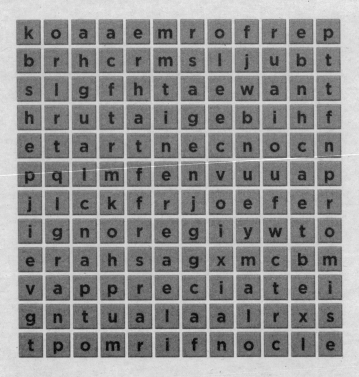

k	o	a	a	e	m	r	o	f	r	e	p
b	r	h	c	r	m	s	l	j	u	b	t
s	l	g	f	h	t	a	e	w	a	n	t
h	r	u	t	a	i	g	e	b	i	h	f
e	t	a	r	t	n	e	c	n	o	c	n
p	q	i	m	f	e	n	v	u	u	a	p
j	l	c	k	f	r	j	o	e	f	e	r
i	g	n	o	r	e	g	i	y	w	t	o
e	r	a	h	s	a	g	x	m	c	b	m
v	a	p	p	r	e	c	i	a	t	e	i
g	n	t	u	a	l	a	a	l	r	x	s
t	p	o	m	r	i	f	n	o	c	l	e

achieve   **confirm**   **promise**
annoy   **ignore**   **share**
appreciate   **laugh**   **teach**
concentrate **perform**   **want**

MUSIC

s	e	c	y	c	a	l	y	p	s	o	i
c	r	l	l	j	a	z	z	l	x	o	l
p	z	c	e	l	c	s	l	a	t	e	m
i	t	e	o	c	o	i	b	l	x	a	e
x	t	a	u	u	t	e	k	a	p	t	c
w	g	o	y	w	n	r	p	l	r	e	n
k	z	k	q	b	b	t	o	u	o	f	a
t	u	p	l	l	r	e	r	n	n	f	d
p	o	p	u	i	r	o	a	y	i	k	o
u	r	e	o	i	b	i	c	s	z	c	k
i	s	r	s	i	y	r	d	k	f	a	k
h	d	l	d	e	u	s	v	s	a	l	n

blues	electronic	pop
calypso	folk	punk
country	jazz	rock
dance	metal	soul

RECYCLING

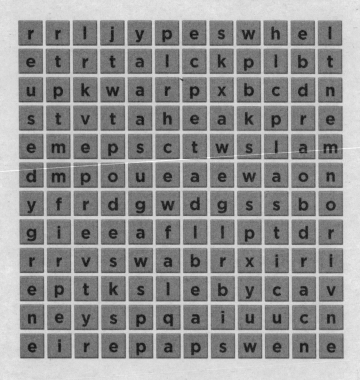

r	r	l	j	y	p	e	s	w	h	e	l
e	t	r	t	a	l	c	k	p	l	b	t
u	p	k	w	a	r	p	x	b	c	d	n
s	t	v	t	a	h	e	a	k	p	r	e
e	m	e	p	s	c	t	w	s	l	a	m
d	m	p	o	u	e	a	e	w	a	o	n
y	f	r	d	g	w	d	g	s	s	b	o
g	i	e	e	a	f	l	l	p	t	d	r
r	r	v	s	w	a	b	r	x	i	r	i
e	p	t	k	s	l	e	b	y	c	a	v
n	e	y	s	p	q	a	i	u	u	c	n
e	i	r	e	p	a	p	s	w	e	n	e

cardboard	metal	reuse
energy	newspaper	scrap
environment	plastic	vegetable
glass	reduce	waste

WEDDING KEYWORD

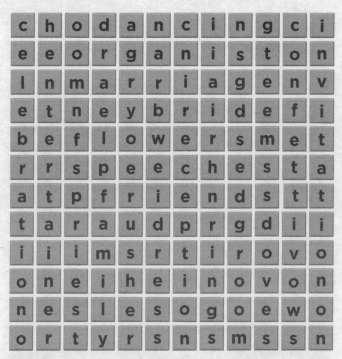

c	h	o	d	a	n	c	i	n	g	c	i
e	e	o	r	g	a	n	i	s	t	o	n
l	n	m	a	r	r	i	a	g	e	n	v
e	t	n	e	y	b	r	i	d	e	f	i
b	e	f	l	o	w	e	r	s	m	e	t
r	r	s	p	e	e	c	h	e	s	t	a
a	t	p	f	r	i	e	n	d	s	t	t
t	a	r	a	u	d	p	r	g	d	i	i
i	i	i	m	s	r	t	i	r	o	v	o
o	n	e	i	h	e	i	n	o	v	o	n
n	e	s	l	e	s	o	g	o	e	w	o
o	r	t	y	r	s	n	s	m	s	s	n

bride
celebration
confetti
dancing
doves
dress
entertainer

family
flowers
friends
groom
invitation
marriage
organist

priest
reception
rings
speeches
usher
vows

Write the unused letters here.
What word do they spell?

l	p	k	r	y	p	t	o	n	f	v	t
f	t	o	a	t	s	k	n	o	c	k	k
w	k	a	r	a	o	k	e	y	j	n	n
i	o	k	h	k	n	e	e	w	o	k	i
g	s	a	g	k	n	e	e	w	l	k	i
f	h	n	t	n	o	i	l	t	i	l	u
y	n	g	y	m	i	e	g	t	i	b	r
k	u	a	t	a	d	t	t	h	i	k	r
u	z	r	s	g	m	e	t	l	t	y	s
p	v	o	e	y	n	t	s	i	n	a	t
w	u	o	k	e	t	t	l	e	n	i	t
k	e	y	b	o	a	r	d	r	l	k	d

kangaroo   kite   knitting
karaoke   kitten   knock
kettle   knee   knowledge
keyboard   knight   krypton

114

COOL ANIMALS

o	z	x	h	s	i	f	d	r	o	w	s
c	a	p	y	b	a	r	a	t	p	s	i
t	p	a	k	m	t	a	r	s	i	e	r
o	l	n	x	q	o	u	m	k	a	o	e
p	a	g	s	b	x	z	a	q	t	x	n
u	t	o	i	a	e	i	d	a	w	j	n
s	y	l	h	p	k	m	i	x	p	s	u
t	p	i	t	s	a	t	l	p	r	p	r
h	u	n	t	i	s	k	l	e	s	t	d
z	s	r	m	r	n	b	o	n	m	d	a
b	m	k	r	o	n	a	r	u	k	u	o
l	s	s	a	l	a	m	a	n	d	e	r

armadillo   octopus   roadrunner
capybara   okapi   salamander
lemur   pangolin   swordfish
loris   platypus   tarsier

ELEMENTS

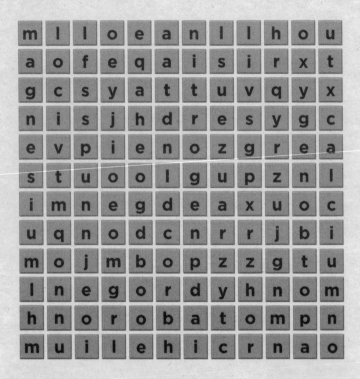

m	l	l	o	e	a	n	l	l	h	o	u
a	o	f	e	q	a	i	s	i	r	x	t
g	c	s	y	a	t	t	u	v	q	y	x
n	i	s	j	h	d	r	e	s	y	g	c
e	v	p	i	e	n	o	z	g	r	e	a
s	t	u	o	o	l	g	u	p	z	n	l
i	m	n	e	g	d	e	a	x	u	o	c
u	q	n	o	d	c	n	r	r	j	b	i
m	o	j	m	b	o	p	z	z	g	t	u
l	n	e	g	o	r	d	y	h	n	o	m
h	n	o	r	o	b	a	t	o	m	p	n
m	u	i	l	e	h	i	c	r	n	a	o

argon	helium	magnesium
boron	hydrogen	neon
calcium	lead	nitrogen
carbon	lithium	oxygen

INSTRUMENTS

h	b	a	n	j	o	a	s	j	h	b	c
q	y	r	e	d	r	o	c	e	r	y	e
z	e	g	l	g	u	i	t	a	r	n	e
t	u	n	d	c	f	g	k	t	o	y	i
r	h	x	o	o	e	i	e	h	p	p	v
u	l	a	w	b	x	l	p	v	i	l	t
m	n	l	b	y	m	o	l	l	a	v	t
p	m	o	s	u	l	o	l	o	n	l	y
e	z	i	i	y	l	j	r	q	o	p	i
t	o	v	x	d	t	p	e	t	u	l	f
u	a	b	u	t	m	o	e	j	o	j	y
o	l	t	e	n	i	r	a	l	c	j	u

banjo   guitar   trumpet
cello   piano   tuba
clarinet   recorder   viola
flute   trombone   xylophone

HOUSEHOLD ITEMS

c	d	u	s	t	b	i	n	e	l	t	r
j	b	z	p	r	x	j	t	u	e	o	n
e	m	k	i	h	q	x	f	p	t	o	o
a	n	a	u	t	a	s	r	a	i	c	e
u	h	o	u	x	p	a	r	s	k	o	y
c	m	m	h	i	c	e	i	x	t	m	l
t	p	o	l	p	g	v	r	b	s	p	a
z	h	l	m	i	e	t	f	e	r	u	m
w	o	n	r	l	s	l	t	d	u	t	p
w	d	f	e	p	f	r	e	b	e	e	t
l	e	t	i	v	r	y	o	t	j	r	y
r	i	n	u	s	o	f	a	a	m	r	n

bed	**dustbin**	**refrigerator**
carpet	**lamp**	**sofa**
chair	**oven**	**telephone**
computer	**pillow**	**television**

AT THE AIRPORT

c	h	e	v	p	k	m	y	s	y	g	e
u	a	d	n	l	a	t	v	a	d	g	d
s	p	r	n	a	o	s	w	y	c	a	r
e	c	c	o	l	l	n	s	t	s	t	a
c	u	a	i	u	u	p	r	p	j	e	o
u	s	p	r	r	s	a	o	z	o	h	b
r	t	h	h	u	n	e	z	r	m	r	l
i	o	a	j	s	l	g	l	u	e	g	t
t	m	y	p	q	c	b	e	c	j	a	v
y	s	o	k	u	f	p	l	f	i	h	f
j	r	z	t	d	l	a	n	d	i	n	g
t	t	e	r	m	i	n	a	l	y	y	k

aeroplane   gate   runway
board   landing   security
carousel   passport   terminal
customs   pilot   transport

JOBS

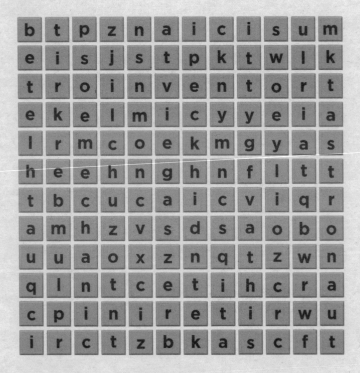

b	t	p	z	n	a	i	c	i	s	u	m
e	i	s	j	s	t	p	k	t	w	l	k
t	r	o	i	n	v	e	n	t	o	r	t
e	k	e	l	m	i	c	y	y	e	i	a
l	r	m	c	o	e	k	m	g	y	a	s
h	e	e	h	n	g	h	n	f	l	t	t
t	b	c	u	c	a	i	c	v	i	q	r
a	m	h	z	v	s	d	s	a	o	b	o
u	u	a	o	x	z	n	q	t	z	w	n
q	l	n	t	c	e	t	i	h	c	r	a
c	p	i	n	i	r	e	t	i	r	w	u
i	r	c	t	z	b	k	a	s	c	f	t

architect   chemist   musician
astronaut   dancer   plumber
athlete   inventor   singer
biologist   mechanic   writer

BARBEQUE

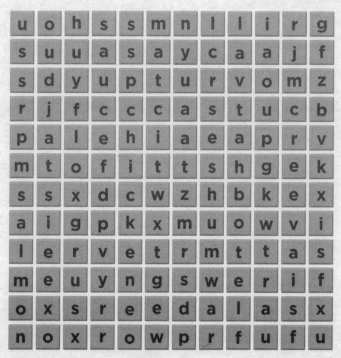

u	o	h	s	s	m	n	l	l	i	r	g
s	u	u	a	s	a	y	c	a	a	j	f
s	d	y	u	p	t	u	r	v	o	m	z
r	j	f	c	c	c	a	s	t	u	c	b
p	a	l	e	h	i	a	e	a	p	r	v
m	t	o	f	i	t	t	s	h	g	e	k
s	s	x	d	c	w	z	h	b	k	e	x
a	i	g	p	k	x	m	u	o	w	v	i
l	e	r	v	e	t	r	m	t	t	a	s
m	e	u	y	n	g	s	w	e	r	i	f
o	x	s	r	e	e	d	a	l	a	s	x
n	o	x	r	o	w	p	r	f	u	f	u

burger	**grill**	**salmon**
chicken	**heat**	**sauce**
coal	**lamb**	**sausage**
fire	**salad**	**smoke**

IN THE BATHROOM

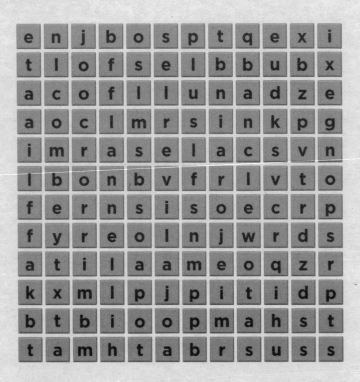

e	n	j	b	o	s	p	t	q	e	x	i
t	l	o	f	s	e	l	b	b	u	b	x
a	c	o	f	l	l	u	n	a	d	z	e
a	o	c	l	m	r	s	i	n	k	p	g
i	m	r	a	s	e	l	a	c	s	v	n
l	b	o	n	b	v	f	r	l	v	t	o
f	e	r	n	s	i	s	o	e	c	r	p
f	y	r	e	o	l	n	j	w	r	d	s
a	t	i	l	a	a	m	e	o	q	z	r
k	x	m	l	p	j	p	i	t	i	d	p
b	t	b	i	o	o	p	m	a	h	s	t
t	a	m	h	t	a	b	r	s	u	s	s

bathmat   **flannel**   **sink**
bubbles   **mirror**   **soap**
cabinet   **scales**   **sponge**
comb   **shampoo**   **towel**

SCIENCE

e	d	i	u	q	i	l	g	s	n	t	t
x	l	u	a	t	o	m	z	a	a	o	k
s	n	e	o	a	v	d	z	h	c	g	s
e	t	n	c	u	a	x	q	b	c	e	s
p	n	o	r	t	u	e	n	o	o	t	o
r	j	t	u	e	r	z	z	n	m	n	l
e	w	o	x	t	s	o	h	d	p	n	i
s	k	r	z	c	m	n	n	b	o	e	d
s	f	p	l	w	h	u	j	c	u	v	a
u	y	t	n	e	m	e	l	e	n	z	z
r	s	e	r	e	k	a	e	b	d	w	e
e	t	u	f	w	b	t	z	t	e	i	k

atom	**electron**	**neutron**
beaker	**element**	**pressure**
bond	**gas**	**proton**
compound	**liquid**	**solid**

NUMBERS

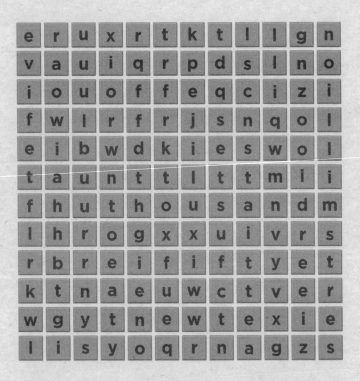

e	r	u	x	r	t	k	t	l	l	g	n
v	a	u	i	q	r	p	d	s	l	n	o
i	o	u	o	f	f	e	q	c	i	z	i
f	w	l	r	f	r	j	s	n	q	o	l
e	i	b	w	d	k	i	e	s	w	o	l
t	a	u	n	t	t	l	t	t	m	i	i
f	h	u	t	h	o	u	s	a	n	d	m
l	h	r	o	g	x	x	u	i	v	r	s
r	b	r	e	i	f	i	f	t	y	e	t
k	t	n	a	e	u	w	c	t	v	e	r
w	g	y	t	n	e	w	t	e	x	i	e
l	i	s	y	o	q	r	n	a	g	z	s

eight	hundred	thousand
fifty	million	three
five	nine	twenty
four	seven	two

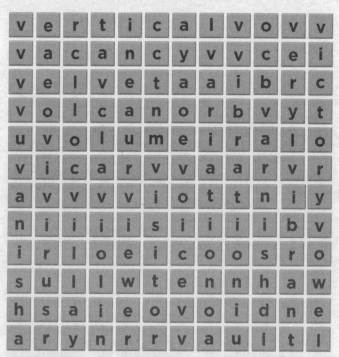

v	e	r	t	i	c	a	l	v	o	v	v
v	a	c	a	n	c	y	v	v	c	e	i
v	e	l	v	e	t	a	a	i	b	r	c
v	o	l	c	a	n	o	r	b	v	y	t
u	v	o	l	u	m	e	i	r	a	l	o
v	i	c	a	r	v	v	a	a	r	v	r
a	v	v	v	i	o	t	t	n	i	y	
n	i	i	i	s	i	i	i	i	b	v	
i	r	l	o	e	i	c	o	o	s	r	o
s	u	l	l	w	t	e	n	n	h	a	w
h	s	a	i	e	o	v	o	i	d	n	e
a	r	y	n	r	r	v	a	u	i	t	l

vacancy
vanish
variation
varnish
vault
velvet
vertical
very

vibrant
vibration
vicar
victory
viewer
villa
violin
virus

visitor
voice
void
volcano
volume
vowel

**Write the unused letters here.
What word do they spell?**

125

GALLERY

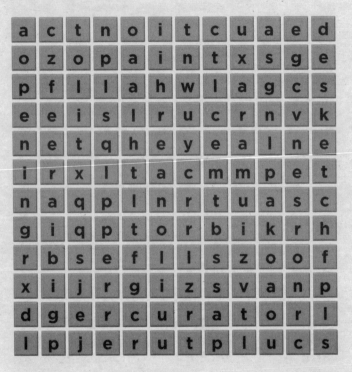

a	c	t	n	o	i	t	c	u	a	e	d
o	z	o	p	a	i	n	t	x	s	g	e
p	f	l	l	a	h	w	l	a	g	c	s
e	e	i	s	l	r	u	c	r	n	v	k
n	e	t	q	h	e	y	e	a	l	n	e
i	r	x	l	t	a	c	m	m	p	e	t
n	a	q	p	l	n	r	t	u	a	s	c
g	i	q	p	t	o	r	b	i	k	r	h
r	b	s	e	f	l	l	s	z	o	o	f
x	i	j	r	g	i	z	s	v	a	n	p
d	g	e	r	c	u	r	a	t	o	r	l
l	p	j	e	r	u	t	p	l	u	c	s

auction	fee	performance
collection	frame	public
curator	opening	sculpture
display case	paint	sketch

IN THE CITY

s	k	y	s	c	r	a	p	e	r	b	y
p	o	t	s	s	u	b	o	b	x	u	t
t	u	l	z	b	g	t	a	e	z	e	i
n	d	t	a	e	c	l	o	n	a	d	s
a	t	u	s	r	o	a	d	s	k	m	r
r	r	r	b	e	d	c	z	g	d	c	e
u	a	i	a	x	c	e	c	i	e	z	v
a	i	b	d	m	g	i	h	l	n	k	i
t	n	t	k	o	s	b	f	t	y	u	n
s	s	x	m	r	t	m	l	f	a	k	u
e	k	s	r	e	t	u	m	m	o	c	z
r	s	b	r	o	j	o	x	a	i	u	k

bank   offices   smog
bus stop   restaurant   trains
cathedral   roads   trams
commuters   skyscraper   university

127

ADJECTIVES

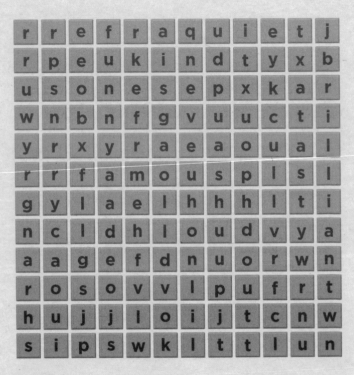

r	r	e	f	r	a	q	u	i	e	t	j
r	p	e	u	k	i	n	d	t	y	x	b
u	s	o	n	e	s	e	p	x	k	a	r
w	n	b	n	f	g	v	u	u	c	t	i
y	r	x	y	r	a	e	a	o	u	a	l
r	r	f	a	m	o	u	s	p	l	s	l
g	y	l	a	e	l	h	h	h	l	t	i
n	c	l	d	h	l	o	u	d	v	y	a
a	a	g	e	f	d	n	u	o	r	w	n
r	o	s	o	v	v	l	p	u	f	r	t
h	u	j	j	l	o	i	j	t	c	n	w
s	i	p	s	w	k	l	t	t	l	u	n

angry	kind	lucky
brilliant	large	quiet
famous	loud	round
funny	lovely	tasty

THE ZOO

r	f	l	a	m	i	n	g	o	s	k	b
r	a	e	b	o	y	e	k	n	o	m	u
z	m	r	e	q	b	k	s	t	r	m	x
o	p	u	n	d	r	e	p	t	i	l	e
r	h	t	a	o	i	p	z	x	j	i	r
s	i	o	k	a	i	n	q	m	k	z	u
t	b	r	j	t	a	t	g	z	j	a	s
z	i	r	k	o	a	l	a	l	k	r	o
e	a	a	m	o	a	j	u	c	m	d	l
b	n	p	r	d	x	k	a	e	u	e	c
x	u	a	j	m	r	o	b	d	r	d	n
a	o	m	e	e	r	k	a	t	a	o	e

amphibian
bear
education
enclosure

feeding
flamingo
koala
lizard

meerkat
monkey
parrot
reptile

OLYMPIC SPORTS

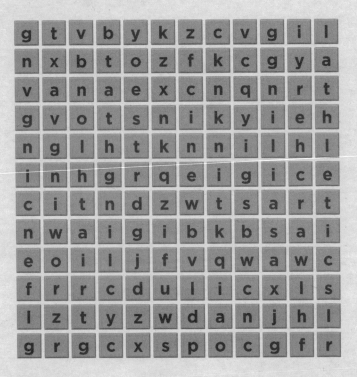

g	t	v	b	y	k	z	c	v	g	i	l
n	x	b	t	o	z	f	k	c	g	y	a
v	a	n	a	e	x	c	n	q	n	r	t
g	v	o	t	s	n	i	k	y	i	e	h
n	g	l	h	t	k	n	n	i	l	h	l
i	n	h	g	r	q	e	i	g	i	c	e
c	i	t	n	d	z	w	t	s	a	r	t
n	w	a	i	g	i	b	k	b	s	a	i
e	o	i	l	j	f	v	q	w	a	w	c
f	r	r	c	d	u	l	i	c	x	l	s
l	z	t	y	z	w	d	a	n	j	h	l
g	r	g	c	x	s	p	o	c	g	f	r

archery   **cycling**   **rowing**
athletics   **diving**   **sailing**
basketball   **fencing**   **tennis**
boxing   **judo**   **triathlon**

CLOTHES

h	t	r	g	j	w	i	u	s	v	u	i
s	r	f	l	c	a	z	y	i	i	x	n
u	o	g	j	s	o	c	z	u	b	r	h
i	u	u	c	z	v	a	k	s	p	j	c
t	s	z	s	o	f	e	t	e	e	z	t
w	e	d	h	m	v	r	q	g	t	r	f
s	r	r	l	p	o	s	g	l	i	s	d
t	s	e	b	h	h	i	i	k	n	d	z
h	s	s	s	i	n	l	s	a	w	p	c
g	w	s	r	g	t	j	e	r	g	g	l
i	d	t	s	r	x	j	s	o	c	k	s
t	y	h	j	n	q	y	z	q	o	p	u

coat	jeggings	socks
dress	shirt	suit
jacket	shorts	tights
jeans	skirt	trousers

PREDATORS

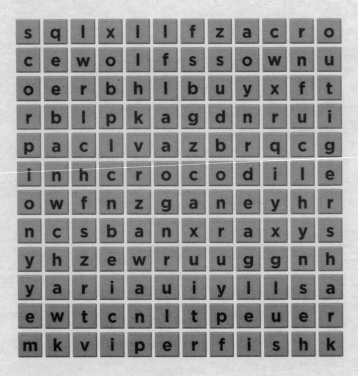

s	q	l	x	l	l	f	z	a	c	r	o
c	e	w	o	l	f	s	s	o	w	n	u
o	e	r	b	h	l	b	u	y	x	f	t
r	b	l	p	k	a	g	d	n	r	u	i
p	a	c	l	v	a	z	b	r	q	c	g
i	n	h	c	r	o	c	o	d	i	l	e
o	w	f	n	z	g	a	n	e	y	h	r
n	c	s	b	a	n	x	r	a	x	y	s
y	h	z	e	w	r	u	u	g	g	n	h
y	a	r	i	a	u	i	y	l	l	s	a
e	w	t	c	n	l	t	p	e	u	e	r
m	k	v	i	p	e	r	f	i	s	h	k

cougar	hyena	seal
crocodile	orca	tiger shark
eagle	piranha	viperfish
hawk	scorpion	wolf

ON SAFARI

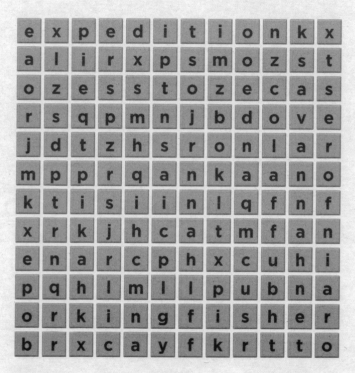

e	x	p	e	d	i	t	i	o	n	k	x
a	l	i	r	x	p	s	m	o	z	z	s	t
o	z	e	s	s	t	o	z	e	c	a	s
r	s	q	p	m	n	j	b	d	o	v	e
j	d	t	z	h	s	r	o	n	l	a	r
m	p	p	r	q	a	n	k	a	a	n	o
k	t	i	s	i	i	n	l	q	f	n	f
x	r	k	j	h	c	a	t	m	f	a	n
e	n	a	r	c	p	h	x	c	u	h	i
p	q	h	l	m	l	l	p	u	b	n	a
o	r	k	i	n	g	f	i	s	h	e	r
b	r	x	c	a	y	f	k	r	t	t	o

buffalo	**impala**	**rainforest**
crane	**knaki**	**rhino**
elephant	**kingfisher**	**savannah**
expedition	**ostrich**	**zebra**

HOBBIES

c	h	e	s	s	w	d	z	c	d	a	p
z	c	p	u	h	m	g	g	m	s	a	j
g	f	i	s	h	i	n	g	t	i	y	h
n	z	d	z	w	i	l	r	n	s	l	a
i	q	l	d	k	h	o	t	k	k	s	o
t	t	w	o	k	n	i	m	v	i	r	q
a	e	o	w	o	n	h	a	e	i	o	a
k	c	t	m	g	y	f	q	c	n	d	g
s	r	y	d	c	i	g	a	m	g	m	o
g	w	x	r	u	n	n	i	n	g	l	y
r	k	c	w	a	l	k	i	n	g	g	b
r	m	e	t	a	r	a	k	f	a	q	f

astronomy	karate	skating
chess	magic	skiing
cooking	painting	walking
fishing	running	yoga

SUPERMARKET KEYWORD

s	s	c	a	n	n	e	r	s	v	e	d
a	w	a	r	e	h	o	u	s	e	g	a
l	c	e	t	w	a	i	s	l	e	s	i
e	h	c	o	s	m	e	t	i	c	s	r
f	e	m	a	p	h	a	r	m	a	c	y
r	c	e	m	a	g	a	z	i	n	e	s
o	k	a	b	p	b	a	k	e	r	y	w
z	o	t	r	e	c	e	i	p	t	l	e
e	u	e	t	r	o	l	l	e	y	s	e
n	t	d	i	s	c	o	u	n	t	s	t
f	i	s	h	c	a	s	h	i	e	r	s
b	a	s	k	e	t	q	u	e	u	e	s

aisles
bakery
basket
cashier
checkout
cosmetics
dairy

discounts
fish
frozen
magazines
meat
newspapers
pharmacy

queues
receipt
sale
scanners
sweets
trolley
warehouse

Write the unused letters here.
What word do they spell?

PUZZLE
ANSWERS

Page 4 – Night Sky

c	m	o	o	n	a	r	s
o	k	o	y	m	s	n	t
m	a	s	l	h	t	b	a
e	s	m	e	t	e	o	r
t	a	u	r	o	r	a	r
a	i	r	g	l	o	w	k
s	c	l	l	u	i	x	a
d	a	r	k	q	d	s	p

Page 5 – Pets

b	r	t	d	o	g	t	r
h	a	m	s	t	e	r	t
u	b	o	n	o	r	t	p
v	b	u	a	z	b	w	m
a	i	s	k	q	i	b	x
p	t	e	e	w	l	t	s
r	h	b	e	c	a	t	x
g	o	l	d	f	i	s	h

Page 6 – Breakfast

j	w	n	p	p	z	k	t
t	a	l	b	a	c	o	n
o	f	m	a	n	o	x	q
a	f	h	g	c	f	u	r
s	l	i	e	a	f	r	c
t	e	a	l	k	e	j	n
g	h	g	t	e	e	f	s
b	u	t	t	e	r	t	g

Page 7 – Hiking

b	c	o	m	p	a	s	s
m	r	w	h	f	z	w	a
n	o	t	i	o	b	b	h
a	u	r	l	r	o	o	z
t	t	a	l	e	t	o	t
u	e	i	v	s	z	t	d
r	z	l	h	t	v	s	n
e	t	e	r	r	a	i	n

Page 8 – Bears

x	w	p	o	l	a	r	t
g	r	i	z	z	l	y	h
p	s	c	i	d	j	o	u
a	c	u	y	o	b	s	n
w	a	b	j	b	r	d	t
x	v	f	u	r	o	b	i
g	e	j	p	x	w	x	n
l	n	i	i	s	n	f	g

Page 9 – Calming Words

t	g	e	n	t	l	e	p
r	v	q	p	r	e	s	e
e	y	r	q	a	p	i	a
s	e	r	e	n	e	l	c
t	a	s	v	q	l	e	e
f	t	n	f	u	t	n	f
u	g	q	u	i	e	t	u
l	s	t	i	l	l	t	l

Page 10 – Halloween

Page 11 – Vikings

Page 12 – London

Page 13 – Animals Keyword

h	b	i	b	a	t	p	p
d	e	e	r	g	o	a	t
p	a	n	d	a	a	d	c
o	v	p	o	t	d	o	r
p	e	l	i	c	a	n	a
f	r	a	d	u	c	k	b
o	m	u	o	t	t	e	r
x	c	a	m	e	l	y	s

Keyword: hippopotamus

Page 14 – Colours

p	u	r	p	l	e	u	c
i	n	d	i	g	o	r	r
n	b	o	n	o	r	r	i
k	b	i	x	b	b	u	m
a	i	p	k	l	q	s	s
p	t	z	e	u	r	s	o
m	a	u	v	e	o	e	n
g	o	l	w	h	i	t	e

Page 15 – Garden

r	u	a	f	x	a	w	l
s	f	l	o	w	e	r	n
h	u	b	u	s	h	t	v
e	p	o	n	d	p	k	k
d	r	s	t	n	a	p	g
u	g	r	a	s	s	e	e
l	a	b	i	r	d	s	r
p	l	a	n	t	k	g	p

Page 16 – Wild Flowers

f	f	u	o	c	t	m	p
c	o	t	x	t	v	a	r
o	x	v	e	l	o	r	i
w	g	i	y	i	r	i	m
s	l	o	e	l	c	g	r
l	o	l	p	a	h	o	o
i	v	e	r	c	i	l	s
p	e	t	d	s	d	d	e

Page 17 – Ice Cream Flavours

m	c	j	v	p	j	a	c
i	h	m	a	e	b	d	o
n	e	a	n	c	e	i	f
t	r	n	i	a	r	m	f
c	r	g	l	n	r	c	e
h	y	o	l	c	y	z	e
o	y	j	a	w	e	p	w
c	n	b	a	n	a	n	a

Page 18 – Food

p	i	c	k	l	e	t	r
a	a	o	s	t	g	r	c
s	e	k	n	o	g	t	h
t	b	t	m	z	b	b	e
a	s	o	u	p	k	r	e
p	t	f	e	w	p	e	s
r	h	u	e	c	o	a	e
g	o	l	i	v	e	d	h

Page 19 – Insects

e	a	r	w	i	g	e	r
o	e	p	t	w	a	s	p
a	p	r	e	o	a	b	g
n	t	c	r	f	l	e	a
t	k	f	m	x	s	e	r
r	c	r	i	c	k	e	t
x	m	o	t	h	p	t	l
f	s	j	e	t	t	r	t

Page 20 – Summer

s	q	b	r	z	o	p	z
u	c	i	h	t	q	i	t
n	a	k	h	o	t	c	r
s	m	e	a	s	b	n	a
h	p	r	k	w	i	i	v
i	i	i	e	i	l	c	e
n	n	d	k	m	a	t	l
e	g	e	p	w	a	l	k

Page 21 – Trees

i	f	e	y	l	a	w	b
z	m	l	l	p	d	i	p
a	k	m	m	u	u	l	i
s	m	a	p	l	e	l	n
h	p	c	b	z	o	o	e
q	y	e	w	q	a	w	y
r	h	d	b	s	k	b	g
m	s	p	r	u	c	e	l

Page 22 – Games

Page 23 – Horses

Page 24 – Wild Cats

Page 25 – Sports Keyword

Keyword: golf

Page 26 – Vegetables

Page 27 – School

Page 28 – Autumn

```
l s a a s v k j
e e z p d x t o
a a g p u r z r
v s g l o e x a
e o r e a d b n
s n c o l d i g
h a r v e s t e
j y e l l o w s
```

Page 29 – Sweets

```
r m t m i n t b
c a r a m e l o
n o u g a t f n
c c f q w r u b
t o f f e e d o
r j l s k r g n
p f e a o a e p
e s h e r b e t
```

Page 30 – Nature

```
o g t f l o r a
c l s t r e a m
e a a n i m a l
a c t h q r x f
n i e l b o u u
b e o z x c x n
x r t c r k z g
h d e s e r t i
```

Page 31 – Children's Party

```
q c p w i s h k
b a l l o o n s
m n g a m e s s
u d a n c i n g
s l c c j o q i
i e a d e w d b
c s k x i t c f
p r e s e n t s
```

Page 32 – Fish

```
h a l i b u t s
s w u e l t i i
a b t u r b o t
r a n c h o v y
d s s e a a c u
i s t u n a o r
n o u w r u d t
e o i t r o u t
```

Page 33 – Snow Day

```
f g r v l t t s
r l d r j o c n
o o j b t b o o
s v i c e o l w
t e h y u g d b
y s a o n g t a
m r t l n a r l
p l a y i n g l
```

Page 34 – Baby Animals

d	u	c	k	l	i	n	g
k	i	t	t	e	n	e	p
f	b	u	x	g	d	f	u
p	i	g	l	e	t	a	p
c	a	l	f	r	x	w	p
w	q	e	v	w	c	n	y
a	f	o	a	l	a	n	z
w	n	x	c	h	i	c	k

Page 35 – Family

a	c	o	u	s	i	n	b
l	s	o	n	t	d	h	r
k	n	u	n	c	l	e	o
p	e	o	i	a	u	n	t
w	p	q	e	l	e	c	h
j	h	o	c	a	r	j	e
r	e	p	e	b	t	l	r
m	w	s	i	s	t	e	r

Page 36 – Card Games

r	i	b	b	c	r	o	f
u	s	a	r	r	h	f	p
m	p	c	i	i	e	u	i
m	a	c	d	b	a	s	n
y	d	a	g	b	r	n	r
p	e	r	e	a	t	a	n
d	s	a	d	g	s	p	l
p	a	t	i	e	n	c	e

Page 37 – Winter Keyword

f	r	o	s	t	s	s	n
s	e	o	k	w	f	h	s
n	i	g	a	b	l	i	c
o	n	l	t	h	e	v	a
w	d	o	i	a	e	e	r
m	e	v	n	t	c	r	f
a	e	e	g	a	e	l	l
n	r	s	l	e	i	g	h

Keyword: snowball

Page 38 – The Beach

s	a	n	d	b	a	r	s
t	i	d	e	t	k	r	e
a	o	s	h	o	r	e	a
r	b	p	a	z	w	w	s
f	l	o	t	s	a	m	h
i	t	o	e	k	v	t	e
s	w	l	z	c	e	t	l
h	u	l	d	f	s	s	l

Page 39 – Sharks

b	l	a	c	k	t	i	p
a	a	n	s	t	e	r	d
s	q	g	n	m	a	k	o
k	k	e	a	p	b	n	g
i	b	l	k	r	t	u	f
n	w	h	a	l	e	r	i
g	u	m	m	y	a	s	s
o	k	z	d	b	i	e	h

Page 40 – Weather

x	r	r	a	i	n	x	j
t	s	t	o	r	m	y	y
h	c	u	h	a	i	l	y
u	l	i	e	f	z	p	t
n	o	f	r	o	s	t	u
d	u	f	l	g	o	p	h
e	d	s	n	o	w	y	y
r	e	z	b	l	j	q	j

Page 41 – Time

y	m	o	n	t	h	g	i
e	f	u	t	u	r	e	l
a	s	e	e	o	r	s	h
r	g	s	p	a	k	e	o
c	l	o	c	k	i	c	u
w	r	p	a	s	t	o	r
w	a	t	c	h	g	n	f
i	e	l	s	p	l	d	o

Page 42 – Around the House

k	t	g	s	p	r	b	u
i	h	a	l	l	w	a	y
t	p	r	o	s	n	t	o
c	o	a	u	t	g	h	f
h	r	g	n	u	j	r	f
e	c	e	g	d	s	o	i
n	h	t	e	y	p	o	c
g	z	k	d	f	i	m	e

Page 43 – Birds

p	r	k	d	p	s	h	j
s	o	q	i	e	c	e	t
w	s	u	a	n	b	r	b
a	t	p	i	g	e	o	n
n	r	l	n	u	f	n	b
o	i	w	k	i	w	i	a
w	c	q	r	n	j	m	e
l	h	g	o	o	s	e	a

Page 44 – Feelings

e	x	c	i	t	e	d	a
j	r	s	a	d	k	z	n
e	c	h	q	i	r	j	x
a	h	h	a	p	p	y	i
l	e	t	r	r	i	c	o
o	e	p	a	o	e	a	u
u	r	i	s	u	t	l	s
s	y	u	i	d	t	m	s

Page 45 – Owls

e	k	b	a	r	n	n	w
l	t	d	e	s	e	r	t
i	a	w	m	b	h	s	e
t	w	r	a	a	f	n	l
t	n	h	n	p	t	o	f
l	y	d	e	m	x	w	d
e	g	c	d	l	i	y	k
f	f	c	m	a	r	s	h

Page 46 – Seaside

Page 47 – Fairground Keyword

Keyword: rollercoaster

Page 48 – Fruit

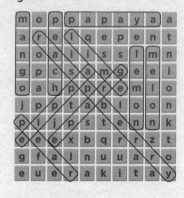

Page 49 – Christmas

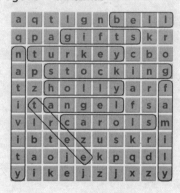

Page 50 – Cricket

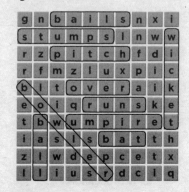

Page 51 – The World

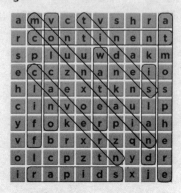

Page 52 – 'Q' Words

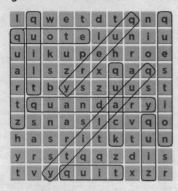

Page 53 – Currencies

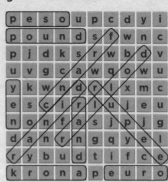

Page 54 – Primates

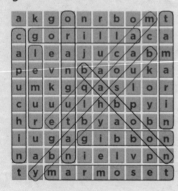

Page 55 – Types of Boat

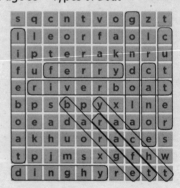

Page 56 – Spring

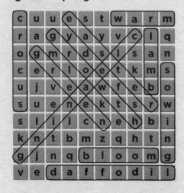

Page 57 – Make a Cake Keyword

Keyword: candles

146

Page 58 – 'W' Words

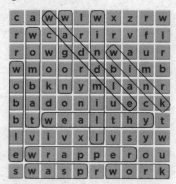

Page 59 – Camping

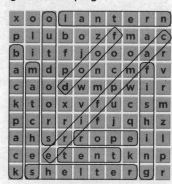

Page 60 – Picnic

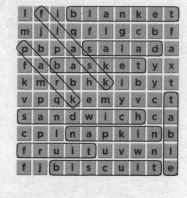

Page 61 – Bonfire Night

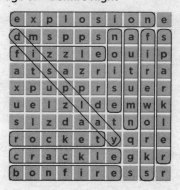

Page 62 – Geography

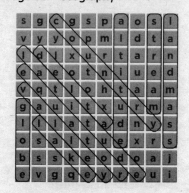

Page 63 – Fossils

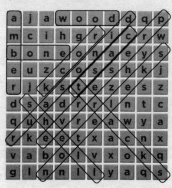

Page 64 – Metals

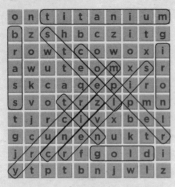

Page 65 – Swimming

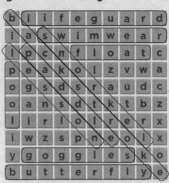

Page 66 – Vehicles

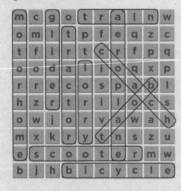

Page 67 – Snakes

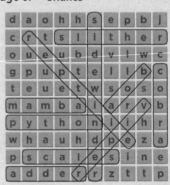

Page 68 – Cakes

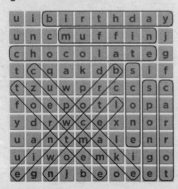

Page 69 – Natural Earth Keyword

Keyword: atmosphere

148

Page 70 – Holiday

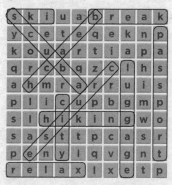

Page 71 – Cinema Trip

Page 72 – Under the Sea

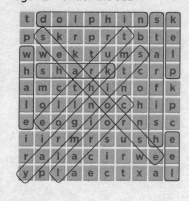

Page 73 – School Subjects

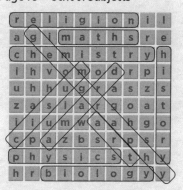

Page 74 – Museum

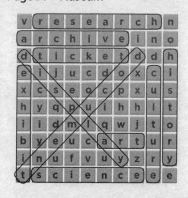

Page 75 – Types of Dance

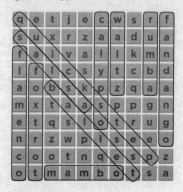

149

Page 76 – In the Desert

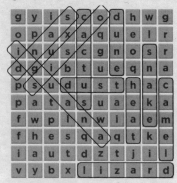

Page 77 – Royalty

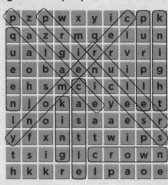

Page 78 – Space

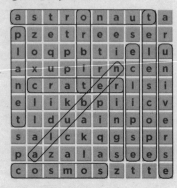

Page 79 – Dogs

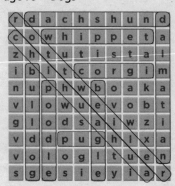

Page 80 – Whales

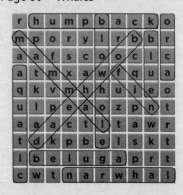

Page 81 – Flowers Keyword

Keyword: snowdrop

150

Page 82 – 'J' Words

Page 83 – At the Farm

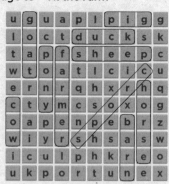

Page 84 – Positive Words

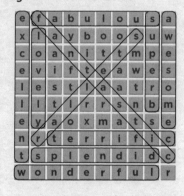

Page 85 – Transport

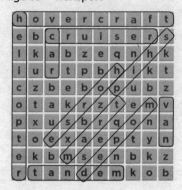

Page 86 – Human Body

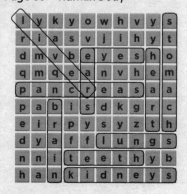

Page 87 – Jungle

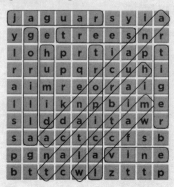

Page 88 – Buildings

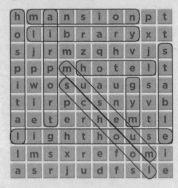

Page 89 – Nocturnal Animals

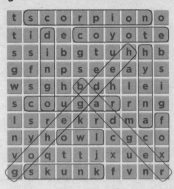

Page 90 – Drinks

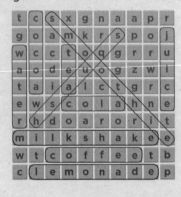

Page 91 – At a Hotel Keyword

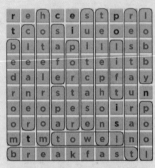

Keyword: receptionist

Page 92 – Reading

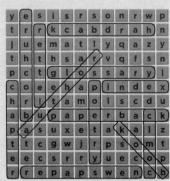

Page 93 – Summer Day

Page 94 – Birthstones

Page 95 – Technology

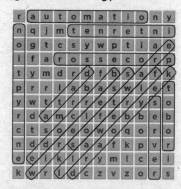

Page 96 – Tennis

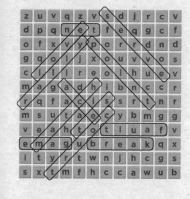

Page 97 – Football

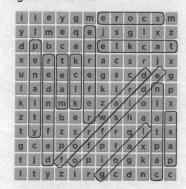

Page 98 – Confident Words

Page 99 – Dinosaurs

Page 100 – On the Road

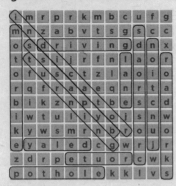

Page 101 – Photography Keyword

Keyword: viewfinder

Page 102 – Rocks

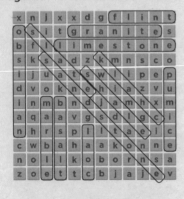

Page 103 – Mythical Creatures

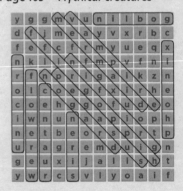

Page 104 – Stationery

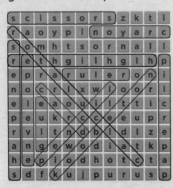

Page 105 – At the Circus

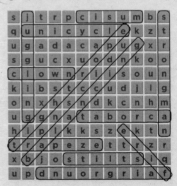

Page 106 – Shapes

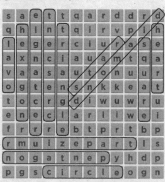

Page 107 – The Ocean

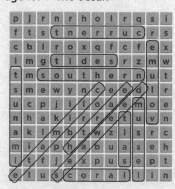

Page 108 – History

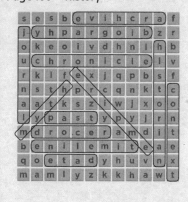

Page 109 – Orchestra

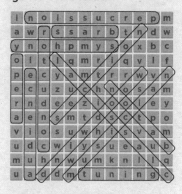

Page 110 – Verbs

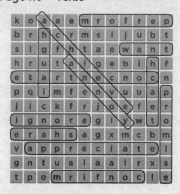

Page 111 – Music

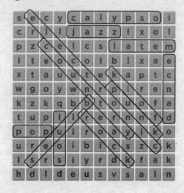

155

Page 112 – Recycling

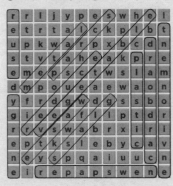

Page 113 – Wedding Keyword

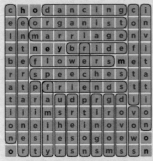

Keyword: honeymoon

Page 114 – 'K' Words

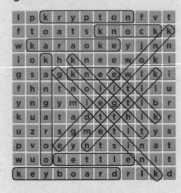

Page 115 – Cool Animals

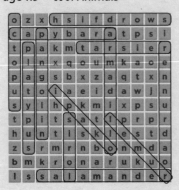

Page 116 – Elements

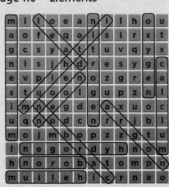

Page 117 – Instruments

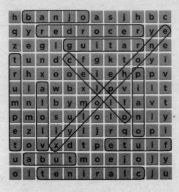

Page 118 – Household Items

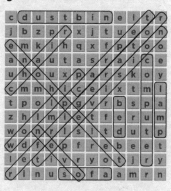

Page 119 – At the Airport

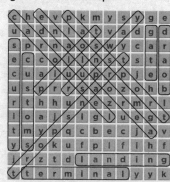

Page 120 – Jobs

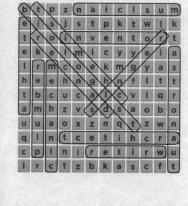

Page 121 – Barbeque

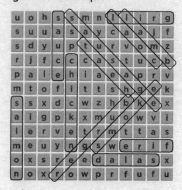

Page 122 – In the Bathroom

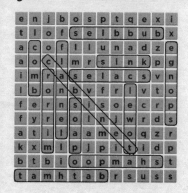

Page 123 – Science

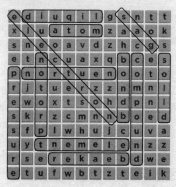

Page 124 – Numbers

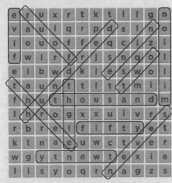

Page 125 – 'V' Words Keyword

Keyword: vocabulary

Page 126 – Gallery

Page 127 – In the City

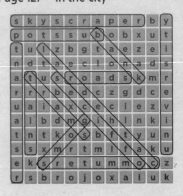

Page 128 – Adjectives

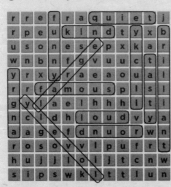

Page 129 – The Zoo

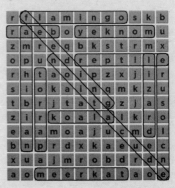

Page 130 – Olympic Sports

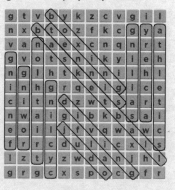

Page 131 – Clothes

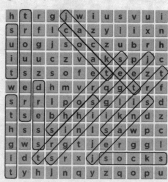

Page 132 – Predators

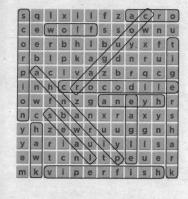

Page 133 – On Safari

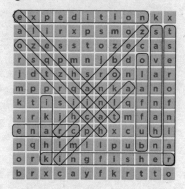

Page 134 – Hobbies

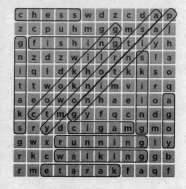

Page 135 – Supermarket Keyword

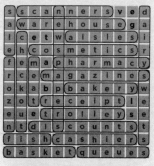

Keyword: vegetables

NOTES